Serie Bianca ◄ Feltrinelli

CARLO CALENDA
ORIZZONTI SELVAGGI
CAPIRE LA PAURA E RITROVARE IL CORAGGIO

Published by arrangement with Susanna Zevi Agenzia Letteraria, Milan

© Giangiacomo Feltrinelli Editore Milano
Prima edizione in "Serie Bianca" ottobre 2018
Quarta edizione novembre 2018

Stampa Grafica Veneta S.p.A. di Trebaseleghe - PD

ISBN 978-88-07-17350-9

FSC
www.fsc.org
MISTO
Carta
da fonti gestite in
maniera responsabile
FSC® C021883

www.feltrinellieditore.it
Libri in uscita, interviste, reading,
commenti e percorsi di lettura.
Aggiornamenti quotidiani

razzismobruttastoria.net

A mia moglie Violante, che ha conosciuto la paura più profonda e trovato il coraggio per combatterla.

Introduzione

"Io con questa gentaglia non voglio più averci a che fare." Questa è la frase che mi è sfuggita al termine di un negoziato particolarmente faticoso con una multinazionale che dimostrava di non aver alcuna intenzione di rendere la chiusura di uno stabilimento meno traumatica per i cinquecento lavoratori coinvolti. Non sono particolarmente fiero di quella parola, gentaglia, rimbalzata su tutti i media, commentata, censurata e applaudita. Dopo cinque anni di governo un improperio è quello che rimarrà del mio lavoro? Me lo sono domandato per qualche giorno con una certa dose di sconforto. Poi ho capito. Quella frase dava corpo a un sentimento diffuso di liberazione dagli opprimenti dogmi degli ultimi trent'anni: il mercato non si discute, le delocalizzazioni servono a migliorare l'efficienza economica, dobbiamo difendere i lavoratori e non i posti di lavoro, bisogna accogliere la distruzione creativa, la mobilità e il cambiamento sono sempre positivi. Quante volte abbiamo sentito ripetere queste parole d'ordine negli ultimi trent'anni? E quanto fermamente io stesso ci avevo creduto, ritenendo che la strada per il benessere e lo sviluppo passasse solo attraverso una società fondata sulle eccellenze. Un futuro meraviglioso alla nostra portata grazie alla potenza del progresso e al mercato.

Per quindici anni ho lavorato in grandi aziende internazionali, il "Made in Italy" è stata la mia bandiera. La globalizzazione e l'innovazione il campo da gioco dove l'Italia, grazie alle sue eccellenze, avrebbe senz'altro vinto. Giocare in attacco, mai in difesa. Conquistare mercati, consumatori, turisti: questa era l'unica strategia percorribile per l'Italia e per l'Occidente. Poi l'incontro con le crisi aziendali mi ha cambiato, così come i cinque anni passati dentro il consiglio del commercio dell'Ue. Un corso accelerato in "dogmi e contraddizioni della globalizzazione". Sono ancora convinto che abbiamo molte carte da giocare nella competizione internazionale, soprattutto grazie a straordinari imprenditori che ogni anno partono alla conquista di mercati lontani che a prima vista sembrerebbero inaccessibili, e a professionisti che primeggiano in tutte le classifiche internazionali. Conservo tante bellissime immagini dell'Italia che vince. Ma non c'è solo quella. E soprattutto nessun paese può pensare di diventare nella sua interezza un'eccellenza. Questo non è un modello di sviluppo, è un'utopia, e anche piuttosto spaventosa.

Molte certezze che hanno accompagnato le ultime generazioni di progressisti si sono sgretolate. Viviamo in un'epoca in cui il futuro è diventato il luogo della paura piuttosto che della speranza. E da qui forse occorre ripartire: ridare diritto di cittadinanza alle nostre paure, per ritrovare il coraggio e affrontare un mondo più duro e difficile. Siamo in un momento di trasformazione rapido e violento il cui punto d'approdo è, nella migliore delle ipotesi, sconosciuto. I progressisti hanno invece dimostrato di aver "paura della paura", come se riconoscerne le ragioni mettesse in discussione tutta l'impalcatura del progresso e la ragione della loro stessa esistenza. Ma compito della politica non è esorcizzare la paura ma comprenderla e affrontarla. Per farlo occorre innanzitutto offrire protezione dalle ingiustizie del presente e poi gestire le transizioni verso il futuro. La politica e lo Stato devono riconquistare il potere perduto di difendere i cittadini. La separazione tra politica e potere deriva da errori interni alla politica, ma è anche un frutto guasto della prima fase della globalizzazione e dell'ideologia che l'ha ispirata. La politica deve tornare ad avere il potere di indirizzare gli eventi a partire dall'oggi.

Negli ultimi trent'anni le classi dirigenti di destra e di sinistra si sono invece arrese davanti alla velocità del cambiamento. Ebbri o spiazzati per la sconfitta del comunismo, a seconda della provenienza ideologica, hanno perso il senso del loro compito. E il paradosso è che la politica è diventata più ideologica proprio quando sembravano morte le ideologie, perché ha assunto dalla teoria economica un pensiero diventato rapidamente dogma. La ricerca della rappresentanza è stata sostituita dalla retorica della competenza. La tecnica ha sostituito il pensiero politico e poi la politica stessa. La rinuncia a una riflessione originale, sviluppata grazie al rapporto con la società e con il presente, piuttosto che importata dall'esterno, ha logorato e poi rotto la relazione di fiducia con i cittadini. Questa frattura si è allargata rapidamente, poi nel 2008 la prima fase della globalizzazione si è chiusa traumaticamente e i suoi dogmi sono crollati, insieme al progetto egemonico dell'Occidente iniziato nell'89. Il mondo non è diventato piatto, la politica sì.

Allora la narrazione si è spostata dal presente al futuro, delineando scenari tanto lontani quanto ottimistici, e importando dalla cultura della Silicon Valley l'idealizzazione di tutto ciò che è *disruptive*. Un aggettivo che ha un significato letterale – dirompente/perturbante – molto più vicino alla percezione che ne hanno i cittadini. Un futuro spaventoso per i tanti che non sentono di aver beneficiato granché dei cambiamenti degli ultimi tre lustri. La nostalgia del passato non riguarda più solo gli anziani. La maggioranza dei *millenials* attribuisce un significato negativo all'idea di progresso. Per la prima volta dalla rivoluzione scientifica temiamo che l'innovazione tecnologica agirà l'uomo e non viceversa. Questa idea sempre più diffusa innesca quella "retrotopia" di cui parla Zygmunt Bauman: il passato lontano diventa il luogo immaginario della giustizia e della sicurezza.

"L'ideologia del futuro", dentro la quale i partiti tradizionali si sono rinchiusi, è una delle ragioni fondamentali del loro declino. La vittoria delle forze populiste parte dal recupero del rapporto con la società attraverso la legittimazione delle inquietudini del presente. I populisti prevalgono, pur rimanendo inconsistenti sul piano delle proposte, perché riconoscono le paure contemporanee, mentre i progressisti hanno venduto e continuano a vendere le meraviglie di un futuro lontano.

Questo libro cerca di ricostruire i perché della caduta dell'Occidente e delle sue classi dirigenti, di analizzare la consistenza delle paure globali e di suggerire un metodo per affrontarle partendo dal presente. Immergersi nelle inquietudini e definire i contorni dei nostri orizzonti selvaggi è il primo passo per ricostruire un pensiero politico progressista credibile e capace di coinvolgere e mobilitare i cittadini.

La Storia è tornata in Occidente. È un ritorno che genera paura, ma che riporta i cittadini all'impegno. Il campo tra populisti e progressisti si va separando in modo molto più netto e radicale rispetto a quanto accaduto tra destra e sinistra nel recente passato. Valori che ritenevamo acquisiti vengono messi in discussione. La battaglia per la democrazia liberale è iniziata, e i progressisti la stanno perdendo per mancanza di visione, progetti e iniziativa politica. Per cambiare le sorti di questo confronto occorre ragionare a fondo sugli errori commessi e definire i contenuti di un pensiero progressista adatto ai tempi burrascosi che stiamo vivendo. Identificare contenuti e valori di una "Democrazia progressista" capace di rispondere ai bisogni e alle paure dei cittadini delle democrazie occidentali è l'obiettivo di questo libro. In Occidente il passato (recente) è diventato sinonimo di sconfitta, il futuro di paura e il presente di ingiustizia e di rifiuto dei valori e delle politiche seguite dalle democrazie liberali. Il libro segue questa ripartizione temporale.

L'ultimo capitolo è dedicato esclusivamente all'Italia, anello fragilissimo di un Occidente fragile e frammentato, perché meno equipaggiata per affrontare le onde potenti e impetuose della modernizzazione che vediamo profilarsi all'orizzonte.

Mentre scrivevo questo libro mia moglie si è ammalata di leucemia. Quando uscirà in libreria avrà fatto il trapianto e sarà tornata a casa. In quest'ultimo anno la paura ha accompagnato la nostra vita personale proprio mentre ne scrivevo in questo libro. Mia moglie, a cui il libro è dedicato, è la persona più coraggiosa che conosca. Eppure ha avuto e ha costantemente paura. Nei tanti momenti di scoramento, paura e persino terrore, due frasi non mi sono mai permesso di pronunciare: "non c'è ragione di avere paura" e "non devi avere paura". La malattia porta con sé la paura, non si può sconfiggere la paura senza sconfiggere la malattia. È quello che dobbiamo fare anche noi con il nostro Occidente malato.

Parte prima
Il passato.
La grande sconfitta

L'isolamento del pensiero nell'orgoglio conduce all'idiozia. Tutti gli uomini che hanno il cuore duro debbono rassegnarsi a finire col cervello tenero.

Gilbert Keith Chesterton

1.
I fatti e le idee

L'Occidente trionfante

All'indomani della caduta del Muro di Berlino, l'Occidente era pronto a ingoiare il mondo, attraverso un progetto egemonico fondato su: libero commercio, libera circolazione dei capitali, diffusione della sua cultura, dei suoi stili di vita e di consumo, democrazia, diritti. Tutto lasciava presagire una vittoria epocale delle liberal-democrazie, "la fine della Storia"[1] e la nascita di un "mondo piatto"[2] specchio dell'Occidente. L'avvento di un mondo aperto, multiculturale (ma inquadrato in un unico modello economico-sociale), multilaterale, democratico, prospero, sostanzialmente secolarizzato, regolato dalle leggi del mercato e del progresso tecnologico appariva l'approdo naturale e definitivo della Storia.

A meno di trent'anni da quel momento possiamo dire che davvero molto è andato storto, soprattutto per noi. Oggi l'Occidente è profondamente indebolito. Il nostro peso politico ed economico si è ridotto, le nostre società sono più ineguali, i nostri valori sono messi in discussione dall'interno, il senso di appartenenza a un'unica civiltà è sempre più flebile. Politicamente frammentato come mai dalla fine della Seconda guerra mondiale, l'architettura della *governance* globale concepita dagli Stati Uniti viene smantellata proprio dal presidente americano. La dichiarazione di Trump – "l'Unione europea è nostra nemica" – rappresenta un'impensabile rottura della solidarietà occidentale dopo tre quarti di secolo. I regimi non democratici o illiberali sembrano essere quelli più attrezzati per affrontare la modernità, perché hanno subìto meno la separazione tra potere e politica che ha caratterizzato l'Occidente negli ultimi trent'anni. Le bandiere del "mondo libero" sono cadute e nessuno sembra aver voglia di raccoglierle.

La frammentazione dell'Occidente è l'effetto e non la causa della sua caduta. Nel diciannovesimo secolo le potenze occidentali erano spesso in guerra tra loro e sempre in accesa competizione, eppure dominavano il mondo. Nonostante conflitti e rivalità esisteva comunque un forte sentimento di appartenenza alla civiltà occidentale. Una identità che era rafforzata dalla certezza della propria superiorità economica, religiosa, culturale, politica e tecnologica. Le guerre mondiali, l'ascesa del comunismo, e la fine del colonialismo hanno portato a una "biforcazione" dell'Occidente e dell'umanesimo. Due modelli di sviluppo, due progetti egemonici in conflitto, l'umanesimo liberale e l'umanesimo socialista.[3] Dal dopoguerra all'89 questa contrapposizione/frattura ha contenuto la forza espansiva delle democrazie liberali moderandone la dottrina economica. La diversa organizzazione economica e sociale presa dall'Europa occidentale – la centralità del welfare e la nascita del modello di "economia sociale e di mercato" –,[4] deriva anche dalla prossimità geografica dei paesi comunisti e dalla presenza di forti partiti socialisti e comunisti nell'Europa dell'Ovest.

Ma dopo la caduta del Muro di Berlino, l'Occidente riunificato e non più contenuto ha dato vita a un progetto molto più ambizioso, perché fondato sull'egemonia più che sulla conquista e la sottomissione. Un progetto universalistico. Non si trattava di sottomettere con la superiorità tecnologica e militare una parte del mondo, ma di attrarlo, assimilarlo e governarlo tutto consensualmente. Questa sicurezza nelle nostre capacità egemoniche derivava anche dalle modalità del crollo dell'Unione Sovietica. Il comunismo "è stato l'unico totalitarismo della storia a scegliere di inabissarsi da solo, senza guerre né sangue".[5] Avevamo vinto la partita con il comunismo per abbandono dell'avversario. Mai come dopo la caduta del Muro di Berlino l'umanità è sembrata vicina a un approdo economico, sociale, culturale e politico unico e definitivo. La fine della Storia appunto. La Globalizzazione (in maiuscolo quando farò riferimento al progetto egemonico dell'Occidente) è stata l'essenza di questo disegno.

Globalizzazione "leggera" e iperglobalizzazione

Dall'inizio degli anni cinquanta fino all'abbandono del gold dollar standard da parte degli Stati Uniti ('71) e allo shock petrolifero ('73), il sistema di governance dell'economia internazionale disegnato a Bretton Woods ha tenuto bene, sia pure con molti aggiustamenti che denotavano un elevato livello di pragmatismo politico.[6] Tra il 1950 e il 1973 il valore delle esportazioni mondiali crebbe di sette volte, quello del prodotto lordo di tre.[7] Questa globalizzazione "leggera"[8] prevedeva limiti all'apertura dei mercati, ampio spazio di manovra agli Stati nazionali, controlli sui flussi di capitali internazionali e protezione dei settori sensibili (agricoltura e tessile), e si fondava sull'esistenza di una valuta globale rappresentata dalla parità fissa tra dollaro e oro. Questa via pragmatica (*embedded liberalism*)[9] alla globalizzazione consentiva agli Stati nazionali di perseguire politiche economiche forti per ridurre le diseguaglianze e costruire sistemi di welfare che hanno assicurato un grado di prosperità diffusa mai raggiunto prima (e dopo) in Occidente. Per molti versi l'età dell'oro dell'Occidente era nata proprio dalla consapevolezza dei limiti dell'applicazione della teoria economica alla filosofia politica e alle pratiche di governo. I totalitarismi, passati (fascismo e nazismo) e contemporanei (comunismo), avevano scolpito nella mente delle classi dirigenti politiche i rischi connessi all'aumento delle diseguaglianze e all'instabilità economica degli anni venti. Ma al di là delle considerazioni prettamente economiche, "i dibattiti politici di quei primi anni del dopoguerra erano, in una certa misura, moralizzati. Le problematiche economiche erano considerate come 'test della coerenza etica della comunità'".[10] Questa prospettiva umanistica favorì investimenti culturali ad ampio raggio. L'idea di fondo era quella della Bbc di Lord Reith: "Elevare il livello culturale della popolazione invece di andare incontro ai suoi gusti".[11]

Idealizzare il passato è sempre sbagliato. L'eccesso di statalismo e l'idea che ai diritti non dovessero corrispondere doveri contribuirono a provocare la fine di quell'epoca, ma non c'è dubbio che le liberal democrazie raggiunsero in quel periodo un equilibrio virtuoso mai più ritrovato tra libertà economica, giustizia sociale e progresso.

Il fondamento teorico della Globalizzazione nasceva in quegli anni, dalla teoria della modernizzazione elaborata negli Stati Uniti da Walt Whitman Rostow, consigliere di Kennedy e di Johnson, come risposta alla penetrazione dell'ideologia marxista nei paesi sottosviluppati.[12] Una dottrina che si ispirava al Piano Marshall (a cui Rostow aveva collaborato), che aveva funzionato bene in Europa. Le cinque fasi dello sviluppo identificate da Rostow disegnavano un percorso sequenziale innescato dall'abbandono delle società tradizionali, dalla centralità degli investimenti (in particolare quelli provenienti dall'estero), dal diffondersi del progresso scientifico e tecnologico e infine dallo sviluppo di una società dei consumi. Questa teoria era frutto della Guerra fredda e disegnata per contrastare l'avanzata del comunismo che, dopo il lancio dello Sputnik e con il "grande balzo in avanti" di Mao, viveva un momento di gloria apparente. Si trattava di una dottrina di guerra, sia pure fredda e dunque tutta rivolta verso l'esterno. L'impatto di una rapida crescita delle economie in sviluppo sulle società occidentali e le conseguenze in termini di distribuzione della ricchezza, erano poco considerate. Questo errore di prospettiva ha segnato tutta la Globalizzazione e contribuito a determinarne gli esiti.

Ma un altro aspetto era stato sottovalutato: la rapidità della crescita delle nuove potenze economiche in un contesto di mercati aperti e deregolamentati dopo il crollo del comunismo. Lo sviluppo della Cina è avvenuto in meno della metà del tempo previsto da Rostow. Nessuna nazione a memoria d'uomo ha mai bruciato le tappe dello sviluppo a una velocità paragonabile. In tre decenni la Cina è passata dall'avere una quota del commercio globale inferiore all'1% "equivalente a un errore di approssimazione",[13] a diventarne il leader con una quota sulle esportazioni mondiali del 17% e un surplus di circa 500 miliardi di dollari.

All'inizio degli anni ottanta Stati Uniti, Canada, Gran Bretagna e Repubblica federale tedesca elessero governi conservatori. La teoria neoliberista diventava così il dogma dell'Occidente e delle sue istituzioni, dalla Banca mondiale al Fondo monetario internazionale. L'enfasi si spostava su apertura dei mercati, liberalizzazione dei flussi di capitale, privatizzazioni e deregolamentazione. La politica economica interna dei paesi occidentali, virando verso una decisa deregolamentazione e riduzione del ruolo dello Stato, cessava di essere un fattore di riequilibrio rispetto all'apertura dei mercati. Liberisti dentro e fuori, sia pure con tempi e gradi diversi, i paesi occidentali preparavano il terreno per l'iperglobalizzazione, ovvero il ribaltamento della gerarchia tra politiche nazionali e *governance* internazionale.

Nel 1989 John Williamson definiva le linee guida per lo sviluppo e il sostegno ai paesi emergenti, poi conosciute con il nome di *Washington Consensus*, che prevedevano: una politica fiscale di contenimento del deficit, eliminazione dei sussidi a favore di sostegni mirati a crescita e inclusione sociale, allargamento della base fiscale, liberalizzazione dei tassi di cambio e del commercio, apertura agli investimenti diretti esteri, privatizzazioni, deregulation e tutela del diritto di proprietà.

Con l'eliminazione della distinzione tra capitali a breve termine e capitali a lungo termine, promossa dall'Ocse alla fine degli anni ottanta, la spinta alla liberalizzazione dei movimenti di capitali diveniva sempre più forte. Nel 1999 Clinton aboliva la separazione tra banche commerciali e banche di investimento in vigore in America dal 1933, mettendo le premesse "regolamentari" per la crisi del 2007/2008.

Intanto, nel 1995, nasceva l'Organizzazione mondiale del commercio. Un progetto già immaginato durante la conferenza di Bretton Woods come terzo pilastro, insieme al Fondo monetario internazionale e alla Banca mondiale, della *governance* economica globale. Il principio fondamentale dell'Organizzazione mondiale del commercio è quello della "nazione più favorita" ovvero l'estensione a tutte le parti contraenti delle migliori condizioni di accesso al mercato applicate da un paese. Con la nascita dell'Omc la Globalizzazione diventava più ambiziosa. L'obiettivo non era più solo la diminuzione delle barriere tariffarie sui beni, ma anche sui servizi, e la convergenza delle regole. Investimenti, appalti e normative doganali si andavano ad aggiungere all'agenda negoziale. Nel 2001 la Cina entrava nell'Omc, e la Globalizzazione diventava ufficialmente "iperglobalizzazione".[14]

Il lavoro dell'Omc è risultato da subito molto più complicato del previsto. "L'agenda per lo sviluppo" di Doha, lanciata nel 2001, che avrebbe dovuto coronare il successo della Globalizzazione multilaterale (gli accordi si chiudono per "consenso", ovvero nessun paese deve essere formalmente contrario) non è mai arrivata a una conclusione per l'opposizione di Brasile, India e Cina ad aprire completamente i propri mercati e per la riluttanza americana ed europea ad abbandonare i sussidi sui prodotti agricoli. Nel 2008 a Ginevra il negoziato falliva definitivamente. Da allora solo alcuni accordi minori su procedure doganali (Bali 2013) e sussidi all'export (Nairobi 2015) sono stati chiusi in sede multilaterale. Avendo partecipato alle riunioni ministeriali di Bali e Nairobi posso testimoniare la complessità, per non dire l'impossibilità, di affrontare un'agenda sempre più ambiziosa mettendo d'accordo 164 paesi diversi per cultura, stadio di sviluppo, sistema di governo. I round multilaterali sono da questo punto di vista l'eredità di un'idea di "mondo piatto" che non ha mai visto veramente la luce.

La Globalizzazione si è chiusa con lo scoppio della crisi del 2008 e il fallimento quasi contemporaneo del Doha round. I pilastri economici del progetto occidentale venivano scossi dalle fondamenta e l'Occidente perdeva definitivamente la capacità di iniziativa. A sei mesi dallo scoppio della crisi, secondo un sondaggio condotto da Nbc e "Wall Street Journal", la percentuale di americani che giudicavano positivamente la globalizzazione si era dimezzata.[15] In Occidente la globalizzazione aveva perduto il sostegno dei cittadini ma non delle classi dirigenti politiche ed economiche.

La crisi non è stata una recessione mondiale come tendiamo superficialmente a definirla, ma una "recessione atlantica".[16] Tra il 2008 e il 2011 il Pil cinese è cresciuto del 18%, quello americano del 1,8%, quello dell'Ue è calato del 1,4%. La recessione ha ulteriormente accelerato il trasferimento di potere economico e politico verso il Pacifico. Il ruolo della Banca mondiale, del Fondo monetario internazionale e dell'Organizzazione mondiale del commercio è oggi sempre più marginale e conteso da altre istituzioni come l'Aiib (Asian Infrastracture and Investment Bank), costituite dalla Cina in antagonismo a quelle di Bretton Woods a cui hanno immediatamente aderito Regno Unito, Italia, Francia e Germania.[17]

L'Europa ha preso la sua attuale forma istituzionale nel periodo "dell'Occidente trionfante" e anche per questo ne ha seguito la parabola, con effetti amplificati. Il trattato di Maastricht del '92, l'adozione dell'euro (1999-2002) e l'allargamento ai paesi dell'Est (2004) hanno rappresentato la fase ascendente; la bocciatura del progetto di costituzione europea (2005), il trattato di Lisbona (2007), la crisi dei debiti sovrani (2010-11), la Brexit (2016) e la crisi migratoria quella discendente. L'Europa è oggi l'anello più debole dell'Occidente. Priva di un'identità – che la sua *governance* "morbida", lenta e consensuale prima e l'allargamento poi le hanno impedito di trovare – l'Ue appare oggi inadatta ad affrontare un'epoca di relazioni economiche e politiche dure. Semplicemente l'Unione Europea forse non è equipaggiata per stare a galla nel mare agitato dalla paura e dal nazionalismo. In fondo siamo gli unici a comportarci come se vivessimo in un "mondo piatto".

Il mondo è diventato invece multipolare. E non c'è più nessuno alla guida di una automobile che però continua a correre. La globalizzazione commerciale e finanziaria è andata avanti anche senza l'Omc. Una fitta rete di accordi bilaterali e plurilaterali di libero scambio aveva già iniziato a svilupparsi in tutto il mondo negli anni dello stallo del Doha-Round. Una "noodle bowl"[18] che continua a crescere: oggi gli accordi di libero scambio notificati all'Omc sono più di cinquecento.

L'ultimo tentativo di riportare nelle mani dell'Occidente il timone della globalizzazione è stato compiuto sotto l'amministrazione Obama. Un tentativo che rappresentava tuttavia un piano di contenimento della Cina piuttosto che di rilancio di un progetto egemonico. I negoziati per un accordo tra Stati Uniti e paesi del Pacifico, Trans-Pacific Partnership, poi concluso, quello con l'UE non finalizzato (il famigerato Ttip), i trattati in vigore o in negoziazione tra UE e gli stessi paesi membri dell'alleanza pacifica (Canada e Giappone tra tutti), avrebbero di fatto creato una gigantesca area di libero scambio tra paesi democratici che avrebbe compreso più del 60% del commercio mondiale. Un'area che avrebbe potuto definire gli standard avanzati della seconda fase della globalizzazione e ridare una missione unitaria ai paesi occidentali e ai loro alleati. Nel semestre di presidenza italiana della Ue ci siamo battuti strenuamente per far comprendere che per "raddrizzare" la globalizzazione avremmo avuto bisogno di un più forte legame transatlantico. Il fatto che questo progetto abbia incontrato resistenze innanzitutto tra i cittadini europei e americani è un segno della nostra identità fragile e di delegittimazione delle classi dirigenti. I cittadini occidentali non sono più pronti a concedere fiducia e delega ai loro rappresentanti sul terreno della globalizzazione.

Con il fallimento del negoziato per l'accordo Ue-Usa, il peggioramento dei rapporti commerciali tra gli Stati Uniti e quasi tutti i suoi principali alleati economici e politici, e l'uscita di Trump dalla partnership pacifica, anche questo tentativo si può considerare definitivamente chiuso. Ma ancora una volta la globalizzazione non si ferma, cambia solo strada. E non è detto che quella imboccata sia destinata a favorirci.

Esportare la democrazia

Il terzo pilastro del progetto egemonico dell'Occidente, dopo quello della globalizzazione finanziaria e commerciale, parte dall'assunto che vi sia un nesso ferreo tra democrazia liberale, sviluppo economico e libero mercato, e che, per conseguenza, i valori dell'Occidente possano essere esportati insieme alle merci.

Così scriveva Alberto Alesina il 24 febbraio 2011, nel mezzo delle primavere arabe (ma potremmo fare molti altri esempi):

Il mondo è stato colto di sorpresa dagli eventi in Nordafrica e in Medio Oriente: pare che un'insurrezione in Egitto non fosse considerata in nessuno scenario discusso dal dipartimento di Stato americano. È vero che è molto difficile prevedere quali nazioni insorgeranno contro i propri dittatori per ottenere più democrazia; ci sono però due variabili che storicamente sono correlate alla democratizzazione: il reddito pro capite e il livello d'istruzione medio del paese. Già Aristotele aveva teorizzato che lo sviluppo economico è la condizione necessaria per una democrazia stabile, e la storia gli ha dato ragione [...]. Ovviamente la storia non procede linearmente e ci sono state fasi storiche anche con paesi che hanno abbandonato la democrazia: si pensi solo al periodo tra le due guerre mondiali [...]. Ma in generale la democrazia va a braccetto con lo sviluppo economico: il secondo rende la prima pressoché inevitabile. Alla fine lo sviluppo e l'istruzione non sono compatibili con regimi dittatoriali soffocanti. In un certo senso, quindi, è naturale che paesi come l'Egitto, la Tunisia, il Bahrein, la Libia e forse persino l'Iran insorgano. E sono le classi medie in questi paesi a essere particolarmente presenti in queste insurrezioni. Sono abbastanza ricche e istruite per apprezzare, appunto, i benefici della democrazia. Oltre agli altri dittatori mediorientali, che saranno probabilmente terrorizzati da quanto sta accadendo, vi è un altro regime che osserva da vicino gli eventi: quello cinese. Alla fine lo sviluppo economico dei cinesi li renderà meno tolleranti delle limitazioni alla loro libertà. Una transizione verso la democrazia è inevitabile.[19]

Come poi siano andate le cose è noto a tutti. E non solo nei paesi africani o asiatici. Secondo un recente sondaggio condotto da World Values Survey, solo il 45% degli europei e il 31% degli americani considera essenziale vivere in una democrazia.[20] Quello che colpisce non è né la previsione errata né, al contrario, il ragionamento, genericamente condivisibile, sul rapporto tra sviluppo economico e democrazia, ma il grado di determinismo con il quale commentatori e politici hanno considerato scontati gli esiti di un processo complesso e incerto, e liquidato le fasi di transizione. In questa prospettiva le due guerre mondiali sono state l'interludio di un processo storico inevitabile. E se è vero che nel lungo periodo ogni previsione si avvera, lo è altrettanto il motto di Keynes: "Nel lungo periodo siamo tutti morti".

A questa idea semplice e dogmatica del nesso tra democrazia e sviluppo economico si è accompagnata, dalla Prima guerra del Golfo (1991) e dagli accordi di Oslo (1993), una dottrina delle relazioni internazionali tutta fondata sull'idealismo piuttosto che sul realismo. Una linea di politica estera costruita sulla base di obiettivi ideali e valoriali dove: alleati e avversari si definiscono sulla base della vicinanza ai propri valori e l'esportazione del sistema istituzionale, culturale ed economico diventa obiettivo prioritario dell'azione economica, diplomatica e militare. Al contrario un approccio realista alla politica estera parte dall'analisi dei rapporti di forza per ricercare un equilibrio che almeno in parte deve necessariamente prescindere da valutazioni valoriali. Quasi sempre la politica estera di un paese è una miscela dei due aspetti. Talvolta uno dei due prevale marcatamente. Durante la Guerra fredda, al massimo grado di scontro ideologico corrispose una politica estera fortemente realista. Lo scontro era l'ideale, i mezzi pragmatici e le azioni prudenti. Nel pieno di una guerra ideologica l'Occidente riuscì a rimanere ancorato alla realtà. Caduto l'avversario è venuto meno questo ancoraggio. Questo è quello che è accaduto negli anni novanta e nei primi anni duemila.

Il "commonwealth delle libertà" auspicato da Bush senior nel 1990, che rappresentava il superamento dell'idea di "contenimento verso una politica d'impegno attivo",[21] veniva confermato dal suo successore in termini ancora più assertivi: "Lo scopo primario degli Stati Uniti deve essere espandere e rafforzare la comunità mondiale delle democrazie basate sul mercato". Progetto universalistico carico di implicazioni morali. La ragione di Stato veniva frettolosamente abbandonata a favore della promozione di un sistema di relazioni internazionali fondato sui valori occidentali.

Ma già il fallimento della missione Onu in Somalia nel '93 e il comportamento degli Stati Uniti durante il genocidio in Ruanda (1994), l'irresolutezza nella gestione dei conflitti nell'ex Jugoslavia (1992-1995), dimostrarono la fragilità della determinazione che accompagnava questi ambiziosi proclami universalistici.

Questa fase della politica estera americana si è conclusa con il fallimento del *nation building* in Iraq a metà del primo decennio degli anni duemila ed è stata sepolta dagli esiti delle Primavere arabe nel 2011. Occorre aggiungere che la scoperta di enormi risorse energetiche provenienti dalle sabbie di scisto (*shale oil/gas*), che ha portato rapidamente gli Stati Uniti all'indipendenza energetica, e il confronto con la Cina nel Mar Cinese meridionale hanno spostato il centro dell'interesse strategico americano lontano dal Medio Oriente e dall'Europa, per la prima volta da settant'anni a questa parte.

L'idea che si potesse esportare insieme alle merci la democrazia rispecchia una visione universalistica dei valori occidentali che ha contribuito a minarne l'autorevolezza e ha notevolmente peggiorato la stabilità del mondo.

Anche da questo punto di vista Huntington aveva ragione: "Con le sue pretese universalistiche l'Occidente sta entrando sempre più in conflitto con altre civiltà".[22] Oggi siamo alla ricerca disperata di un equilibrio di potere vecchia maniera.

Intanto la prospettiva sul rapporto tra democrazia e globalizzazione economica si è rovesciata. Il "trilemma dell'economia mondiale" di Dani Rodrik appare oggi molto più convincente del pensiero universalista anni novanta. Secondo Rodrik: "Globalizzazione economica, democrazia politica e Stato-nazione sono fra loro inconciliabili. Possiamo avere contemporaneamente al massimo due di queste cose. La democrazia è compatibile con la sovranità nazionale solo se mettiamo limiti alla globalizzazione. Se spingiamo sulla globalizzazione e manteniamo lo Stato-nazione, dobbiamo rinunciare alla democrazia. E se vogliamo la democrazia insieme con la globalizzazione dobbiamo accantonare lo Stato-nazione e impegnarci per una maggiore *governance* internazionale".[23]

I pilastri della Globalizzazione

Ricapitolando, i pilastri fondamentali del paradigma economico, politico e sociale della Globalizzazione sono stati:

• apertura dei nostri mercati alle merci prodotte nei paesi in via di sviluppo e loro conseguente industrializzazione attraverso il drenaggio di investimenti e posti di lavoro dai paesi occidentali;
• globalizzazione finanziaria per accelerare i processi di crescita delle economie emergenti e supportare gli investimenti delle multinazionali;
• trasformazione dei paesi emergenti in economie di mercato, attraverso il passaggio da economie di produzione a economie di consumo di massa, e piena apertura alle merci, ai servizi e agli investimenti provenienti dai paesi maturi;
• trasformazione dei paesi maturi in economie post-industriali fondate su servizi e beni ad alto valore aggiunto;
• ritorno della ricchezza verso Occidente attraverso l'acquisto di beni ad alto valore aggiunto e servizi da parte dei nuovi consumatori;
• diffusione degli stili di consumo e della cultura

occidentali e con essi delle istituzioni liberaldemocratiche;

• *governance* globale attraverso istituzioni e fori internazionali progettati dagli Stati Uniti ma governati multilateralmente (Fondo monetario internazionale, Banca mondiale, Organizzazione mondiale del commercio, G7-8, G20);

• politica estera improntata all'idealismo; possibilità di esportare la democrazia attraverso interventi diretti e *moral suasion*.

La Globalizzazione è stata modellata su una dottrina che risale alla Guerra fredda e che, in assenza di un avversario ideologico, è diventata dogma. Proprio la caduta del comunismo, e le modalità in cui è avvenuta, ha reso più rigido e universalistico il pensiero liberale.

Si è trattato di un grande progetto politico, certo, ma anche di un investimento economico. Le economie mature hanno ceduto investimenti e posti di lavoro in cambio dello sviluppo di nuovi mercati di consumo, nella convinzione che solo l'allargamento del mercato mondiale avrebbe potuto sostenere tassi di crescita adeguati per le nostre economie dopo una prima fase di "sacrificio".

Personalmente, considero il disegno del progetto egemonico dell'Occidente ambizioso e affascinante. Anzi, ne sono stato un grande sostenitore per molti anni. Chi non vorrebbe un mondo piatto, pacifico, multiculturale, multilaterale e prospero fondato sulla libertà economica e sui valori della democrazia liberale? Ogni civiltà ha bisogno di credere in se stessa e nella propria capacità di attrazione ed espansione. Io credo che i valori dell'Occidente siano patrimonio dell'umanità e rappresentino uno dei più importanti traguardi della storia, ma non certo quello definitivo. Comunque la si pensi, resta il fatto che abbiamo fallito il nostro obiettivo di fondo: un "mondo piatto" specchio dell'Occidente. Perché, come spesso accade con i disegni egemonici, abbiamo perso di vista la realtà e la sua complessità e ci siamo rifugiati nell'ideologia.

La tesi secondo cui dall'89 abbiamo vissuto in un mondo post ideologico non convince. Al contrario abbiamo vissuto in un mondo dominato da un'ideologia che solo apparentemente, a differenza del comunismo, non prevede "il sacrificio di sé per un oltre".[24] Un "oltre" non certo più rappresentato da una rivoluzione sociale, ma da un futuro idealizzato. E proprio come avvenuto per il comunismo, a un certo punto questo sacrificio non è più stato offerto spontaneamente, ma dato per scontato da una classe dirigente che ne ha tratto vantaggio. Un'ideologia "fredda", incapace di coinvolgere e mobilitare i cittadini anche nel suo periodo di massimo splendore, perché essenzialmente fondata sull'efficienza economica piuttosto che su ideali legati all'avanzamento dell'uomo.

Tra il 2005 e il 2008 tutti i pilastri di questo progetto egemonico sono crollati. Il rischio che oggi corrono le democrazie liberali è simile a quello che ha colpito il mondo comunista negli ultimi anni precedenti alla sua implosione. Andiamo avanti per inerzia mentre ogni giorno suona un nuovo segnale di allarme. Un'intera classe dirigente, quella liberale e progressista in particolare, rischia di essere spazzata via perché considerata responsabile di una sconfitta epocale.

Per questo dobbiamo liberarci da ogni approccio ideologico e individuare i singoli elementi che hanno funzionato e che dobbiamo preservare, e le cose che invece sono andate storte e che dobbiamo correggere. Abbiamo percorso rapidamente gli snodi principali della storia di questo progetto, indaghiamo ora sui suoi risultati.

2.
Fallimenti e successi della globalizzazione

Dieci fallimenti

Qual è oggi l'eredità del progetto egemonico dell'Occidente? Partiamo da ciò che è andato storto.

- *Il lavoro è diventato una materia prima, una* commodity *come tutte le altre.* I mercati aperti hanno favorito il rapido spostamento degli investimenti dai paesi sviluppati a quelli emergenti. Una parte di queste delocalizzazioni, quelle "buone", mirano a servire i consumatori dei nuovi mercati, altre, quelle "opportunistiche", tendono a sfruttare i differenziali di costo del lavoro, tutele e normative ambientali. Questa fase della globalizzazione, come abbiamo visto, era prevista ma non considerava i riflessi sulle nostre economie. Invece proprio questa è stata una delle ragioni dell'impoverimento della classe media occidentale. Se guardiamo alla distribuzione dei posti di lavoro industriali la quota detenuta dai paesi emergenti è passata dal 38% del 1960 al 75% del 2010.[1] Una migrazione di massa di posti di lavoro. Oggi sappiamo che i benefici associati al libero scambio hanno un impatto enorme sulla distribuzione della ricchezza e sulla qualità del lavoro. Aumentano i divari tra lavoratori qualificati e non, e un numero sempre maggiore di persone è impiegato in "mini jobs", lavori a breve temine o autonomi.

• *Globalizzazione, innovazione tecnologica e politiche economiche liberiste hanno determinato un aumento senza precedenti delle diseguaglianze nei paesi occidentali e un impoverimento della classe media.* "Dal 1935 al 1960, per esempio, il reddito della famiglia americana media è raddoppiato. Dal 1960 al 1985 è raddoppiato di nuovo. Da allora ha smesso di crescere."[2] La mobilità reddituale assoluta è passata dal 79% del 1950 al 50%. "Le otto persone più ricche del mondo hanno una ricchezza pari a quella posseduta dai 3,6 miliardi più poveri; la famiglia proprietaria di Walmart detiene più ricchezza del 42% della popolazione statunitense più povera."[3] Il livello di diseguaglianze e concentrazione della ricchezza ha superato quello degli anni venti del secolo scorso.

• *Sono falliti tutti i negoziati multilaterali dell'Organizzazione mondiale del commercio* che avrebbero dovuto riequilibrare i flussi commerciali, aprendo progressivamente le economie emergenti ai nostri beni e servizi. I paesi emergenti hanno deciso di trattenere all'interno dei propri confini una porzione maggiore di benefici derivanti dal loro sviluppo. In parole povere, mi va bene importare i vostri prodotti, ma entro il limite del mio vantaggio e comunque preferisco comprare i miei, di beni, anche per proteggere lo sviluppo di un'industria domestica. Brasile, India, Russia e Cina rimangono paesi protezionisti, sia pure con modalità e gradi diversi. In particolare la Cina resta un'economia fortemente controllata e sussidiata dallo Stato. E questa è la principale dimostrazione che la società dei consumi può convivere con un regime non democratico e con un'economia solo parzialmente aperta all'iniziativa privata. In particolare la selettiva apertura ai capitali internazionali e il mantenimento del controllo del tasso di cambio hanno determinato una protezione del sistema produttivo e un sussidio implicito alle imprese esportatrici cinesi. Come osserva giustamente Dani Rodrik: "I campioni della crescita degli ultimi tre decenni [...] sono stati paesi come la Cina che hanno giocato la partita della globalizzazione con le regole di Bretton Woods, piuttosto che con le regole dell'integrazione profonda"[4].

• *La distribuzione dei carichi fiscali è diventata meno equa.* Seguendo lo stesso principio del lavoro, le multinazionali hanno potuto mettere in atto strategie di localizzazione opportunistiche che hanno ridotto enormemente il loro carico fiscale rispetto a piccole imprese e cittadini. I paesi avanzati come risposta competitiva hanno abbassato le tasse sul capitale di circa 20 punti percentuali, contribuendo ad aumentare le diseguaglianze. E l'imposta nominale è comunque un parametro poco attendibile: "Nel 2012, con il 39,1%, l'aliquota di imposta massima per le compagnie americane ha quasi stabilito un record mondiale. Ma nello stesso anno l'aliquota effettiva pagata dalle aziende è stata la più bassa da quarant'anni, solo il 12,1%"[5].

• *La finanza non è diventata solo globale ma anche ipertrofica e sregolata e dunque un fattore di instabilità.* Tra il 1982 e il 2012 il capitale detenuto dai fondi di investimento comuni statunitensi è passato da 25 a 3488 miliardi.[6] Parallelamente l'indebitamento pubblico e privato è cresciuto enormemente nei paesi occidentali. Dal 2000 al 2016 negli Stati Uniti e nella Ue è aumentato rispettivamente di 75 e di 55 punti percentuali rispetto al Pil. Mentre peraltro gli investimenti pubblici scendevano costantemente. Questo indebitamento, in particolare quello americano, è stato finanziato in parte dal surplus commerciale dei paesi emergenti. La politica, accortasi della riduzione del potere di acquisto della classe media, ha somministrato "morfina finanziaria" per lenirne il dolore. Il patrimonio netto medio di una famiglia americana tipo si è ridotto del 38% in un decennio (2003/2013).[7] L'aumento della possibilità di indebitamento ha mascherato questo enorme impoverimento. La crisi dei mutui *subprime* è l'esempio più evidente di questo patto scellerato tra la finanza, interessata ad ampliare all'infinito il suo campo da gioco, e la politica. Tutti comprano case che non potrebbero comprare grazie alla finanza, che costruisce un castello redditizio di scommesse che alla fine crolla, travolgendo gli stessi cittadini illusi dal credito facile. Lo sviluppo del cosiddetto *shadow banking*[8] e delle criptovalute[9] aggiunge instabilità a un sistema reso già pericolante dall'eccesso di indebitamento. Siamo seduti su una bomba pronta a esplodere.

• *L'apertura selettiva ai flussi finanziari stranieri da parte dei paesi emergenti ha determinato un altro fenomeno paradossale.* Scontando quotazioni di Borsa altissime, fondate sulle prospettive di sviluppo del proprio mercato, le società di questi paesi hanno cominciato a comprare aziende dei paesi maturi pagandole di fatto a sconto. La Cina ha iniziato una politica di proiezione verso l'estero attraverso investimenti e finanziamenti di enormi proporzioni, seguendo una logica non solo di mercato ma anche di potenza. Tra il 2005 e il 2015 gli investimenti esteri cinesi si sono quintuplicati.[10] Talvolta ciò si traduce in un beneficio anche per i paesi maturi, ma altre volte questi acquisti hanno una natura predatoria, in particolare quando le società oggetto dell'acquisto detengono brevetti tecnologici facilmente delocalizzabili. Stesso ragionamento si può estendere agli investimenti cinesi in Africa a caccia di materie prime e terreni coltivabili.

• *La diffusione della società di consumo di massa nei paesi emergenti non ha comportato, nella maggioranza dei casi, l'adozione di modelli culturali e istituzionali occidentali.* L'esempio più intuitivo è quello degli integralisti islamici che vestono marche occidentali. Abbiamo dovuto constatare che tradizione, religione e cultura sono più forti di un paio di Nike. Huntington aveva ragione: "La modernizzazione non è sinonimo di occidentalizzazione"[11] e tanto meno di democratizzazione. Se guardiamo i dati, la diffusione di sistemi democratici e di società libere è effettivamente cresciuta fino all'inizio degli anni Duemila per poi stabilizzarsi e iniziare una lenta regressione. Oggi la situazione è la seguente: sul totale degli stati il 45% sono democrazie piene e società libere, il 30% lo sono solo parzialmente, il 25% sono paesi dove non c'è libertà. A quasi trent'anni dalla caduta del Muro, la democrazia liberale globale è un miraggio. Di conseguenza il sistema di *governance* mondiale disegnato dall'Occidente non ha tenuto, anche perché avrebbe necessitato di un mondo unipolare per un più lungo periodo di tempo, con gli Stati Uniti potenza egemone a vigilare su strumenti e istituzioni. "L'iperpotenza" americana, e la sua determinazione a comportarsi come tale, non è durata abbastanza per imporre l'ultimo tassello della strategia, quello istituzionale, ovvero la trasformazione del mondo in un ordine inquadrato in un sistema di regole e istituzioni multilaterali rigidamente amministrate da Washington. "Le regole del sistema sono state promulgate ma si sono dimostrate inefficaci in assenza di un'imposizione attiva."[12] E i tentativi di imposizione attiva sono andati anche peggio.

• *La sostituzione indolore dell'industria manifatturiera con quella dei servizi non è avvenuta,* anche perché inaspettatamente lo sviluppo dei servizi nei paesi emergenti è stato pressoché contemporaneo a quello della manifattura. Dal 1980 al 2010 i posti di lavoro nei servizi nei paesi emergenti sono aumentati di 576 milioni che si sono aggiunti ai 296 milioni di posti nell'industria.[13] In Occidente interi settori produttivi sono stati spazzati via e i posti di lavoro non sono stati rimpiazzati o lo sono stati con lavori di qualità inferiore. Abbiamo poi trascurato di considerare il valore dell'industria come pilastro fondamentale delle nostre società. La caduta dell'industria ha generato un grado di insicurezza nella classe media occidentale superiore al puro valore economico. Usando le parole di Enrico Moretti "per milioni di lavoratori il 'sogno americano' era rappresentato dalla stabilità di un posto di lavoro in fabbrica. Il lavoro in fabbrica, infatti, dava accesso non solo a un buon salario, ma anche a tutti gli aspetti sociali che caratterizzano, sia dal punto di vista economico che culturale, la vita del ceto medio, dalla casa di proprietà al fine settimana libero, alle vacanze estive. In due parole: prosperità e ottimismo".[14] L'industria non è stata difesa dai comportamenti scorretti perché molti paesi, diventati assemblatori più che produttori, hanno deciso che non era economicamente efficiente farlo. L'automazione infine ha accelerato questo processo.

• *La crescita dei consumi mondiali pone un enorme problema di sostenibilità del modello di sviluppo.* Questo tema verrà affrontato in maniera approfondita più avanti, e per ora vale solo la pena sottolineare che un mondo di consumatori appare strutturalmente insostenibile: inquinamento atmosferico, riscaldamento globale, esaurimento delle risorse e distruzione degli ecosistemi. La tecnologia aiuterà così come la consapevolezza diffusa del rischio che corriamo,

38

ma il tempo a disposizione è molto limitato e anche in questo ambito si colgono pericolosi segnali di disimpegno, a partire dagli Stati Uniti.

• *Il mondo non ha raggiunto un assetto stabile.* Il rapporto tra potenze mondiali si va facendo molto più duro e conflittuale. Il modello di relazioni internazionali fondato su un approccio idealistico non ha prodotto i risultati auspicati. In tutto il mondo è in corso un *build-up* militare che rischia di portare indietro le lancette dell'orologio al 1914. Le spese militari annuali sono passate da mille miliardi di dollari del '98 a 1688 del 2016.[15] La frammentazione dell'Occidente è in questo senso un fattore di instabilità aggiuntivo e il conflitto interno all'Islam potrebbe essere il detonatore di una crisi globale.

Dieci successi

L'eredità di questi primi trent'anni di iperglobalizzazione è tutt'altro che esclusivamente negativa. Per molti versi l'umanità, nel suo complesso, proprio grazie al progetto messo in campo dall'Occidente, è incredibilmente progredita.

• *Più di un miliardo di persone sono uscite dalla povertà nei paesi in via di sviluppo* (in particolare in Asia) grazie alla globalizzazione. Dal 1990 al 2013 i poveri assoluti sono diminuiti del 58%. Da questo punto di vista la teoria della modernizzazione si è dimostrata valida. Il benessere del mondo nel suo complesso è cresciuto e la sua distribuzione è stata geograficamente più equa anche se socialmente ingiusta. Questo vale anche per i paesi emergenti, dove i divari di reddito sono persino superiori a quelli nei paesi sviluppati.

• *L'accesso alle cure mediche e all'educazione primaria si è ampliato.* Sotto il profilo medico i progressi sono stati straordinari: la mortalità infantile è scesa dal 9% del 1990 al 4% del 2016 e le vaccinazioni coprono oggi l'86% della popolazione mondiale, sebbene ancora oltre 19 milioni di bambini nel mondo siano privi di copertura vaccinale di base. Anche l'analfabetismo è molto diminuito: oggi su cento cittadini del mondo "solo" 15 non sanno leggere e scrivere o non hanno ricevuto un'educazione elementare. Analoghi progressi non sono stati compiuti nelle democrazie occidentali e questa è una delle principali ragioni della nostra crisi.

• *Il mondo si è a tutti gli effetti globalizzato economicamente.* Il valore del commercio mondiale in proporzione al prodotto lordo è arrivato a essere il più alto della storia e lo stesso vale per lo stock di investimenti diretti esteri. Ma dalla grande crisi in poi la tendenza ha iniziato a invertirsi e la de-globalizzazione forse è già iniziata.

• *La competizione con i paesi emergenti ha promosso lo sviluppo di un tessuto produttivo posizionato su beni e servizi a più alto valore aggiunto nelle economie mature.* Ci sono più "vincenti" ma anche più "perdenti" nelle nostre società. Ciò vale per imprese e lavoratori.

• *La spinta all'innovazione tecnologica* che deriva anche dalla competizione generata dai mercati aperti sta allo stesso modo schiudendo nuove possibilità per affrontare i problemi collegati alla sostenibilità ambientale, al welfare, alla medicina.

• *I prezzi dei beni di consumo sono diminuiti in Occidente.* La globalizzazione ha indebolito la classe media dal punto di vista di salari e qualità del lavoro, ma ha aumentato il potere di acquisto relativo a molti beni di largo consumo importati da paesi emergenti (in particolare per elettronica, giocattoli, abbigliamento). Insieme all'espansione della possibilità di indebitamento, questo fenomeno ha reso accettabili per un certo numero di anni le conseguenze della globalizzazione per la classe media occidentale. Molto diverso quello che è accaduto per il costo dei servizi, in particolare quelli legati all'educazione, che in molti paesi sono diventati proibitivi.

• *L'aumento della classe media mondiale rappresenta uno straordinario potenziale per le economie mature che risentono strutturalmente di una crescita più debole.* Secondo le previsioni, la classe media mondiale è in aumento da 1,8 miliardi di persone del 2009 a circa 3,2 miliardi nel 2020 e a 4,9 miliardi nel 2030. La variazione riguarderà quasi esclusivamente l'Asia, dove nel 2030 si concentrerà il 66% della classe media mondiale. Per capire i potenziali benefici, l'export italiano, che è quasi raddoppiato dall'ingresso della Cina nel Wto nel 2001, potrebbe nuovamente raddoppiare nei prossimi quindici anni. La dinamica del turismo segue quella dell'export ed è una grande opportunità per tutto l'Occidente. Il nostro "investimento" si sta iniziando a ripagare, sia pure con grave ritardo. Inoltre, la diminuzione dei differenziali dei costi di produzione tra economie mature ed economie in sviluppo si sta assottigliando grazie all'automazione e all'aumento dei salari. Ciò sta dando luogo al fenomeno chiamato *reshoring*, ovvero il ritorno degli investimenti produttivi nei paesi avanzati.

• *I paesi sono più interdipendenti economicamente e finanziariamente.* Le catene globali del valore,[16] di cui parleremo diffusamente nel prossimo capitolo, hanno scomposto la produzione tanto che il commercio mondiale è fatto per due terzi di beni intermedi. I conflitti sono diventati più costosi per tutti. Più costosi, ma non per questo impossibili. "Nel 1910 Norman Angell ebbe il coraggio di ipotizzare che quella che

41

oggi gli storici definiscono come prima globalizzazione – la fitta rete [...] di legami economici e finanziari tra le nazioni di inizio xx secolo – avrebbe impedito una guerra devastante". La tesi secondo la quale non possono più esserci guerre in un mondo interdipendente ha lo stesso grado di affidabilità di quella che prevedeva la scomparsa delle differenze culturali.

• *L'internazionalizzazione della conoscenza* e la mobilità di studenti, professori e professionisti ha "rimpicciolito" il mondo per un numero di persone limitato in termini assoluti, che però cresce ogni anno. Più che dalla convergenza degli stili di consumo, è questo fattore che potrebbe innescare una sintonia umana e culturale che è già molto forte nelle classi dirigenti tecniche e scientifiche.

• *È nata una fitta rete di istituzioni di* governance *internazionale* (G20, G7, Wto, Ocse ecc.), spesso con pochi poteri effettivi ma con un fondamentale ruolo di contatto tra nazioni, utile come ammortizzatore per le crisi economiche e politiche. Spesso il valore di questi strumenti di *soft governance* viene sottostimato. Essi non possono diventare strumenti di proiezione per un Occidente egemone, ma sono già istituzioni indispensabili per il coordinamento di un mondo multipolare.

I fatti e le idee: conclusioni

Il mondo è tornato a essere multipolare. Stiamo assistendo al ripristino delle condizioni di potere economico e politico tra Est e Ovest precedenti al diciannovesimo secolo, dopo circa duecentocinquant'anni di primato occidentale dovuto al dominio sul progresso tecnologico, istituzionale e culturale. "La grande convergenza"[17] ricompone il rapporto tra distribuzione demografica e ricchezza. Secondo molte previsioni, nel 2050 l'economia cinese sarà superiore a tutte quelle occidentali messe insieme. Un'evoluzione positiva, se vista in termini demografici, ma piuttosto preoccupante (soprattutto per noi) da una prospettiva geopolitica. Il paradosso è che è stato il nostro progetto di egemonia a essersi tradotto nell'ascesa di un'altra potenza egemone! Pensare che i cittadini occidentali si consolino con l'idea che "l'ascesa degli altri è una conseguenza di idee e azioni americane (e occidentali, *N.d.A.*)"[18] appare poco realistico, per di più se si considera che in un periodo di crescita e sviluppo mondiale (1980-2015) il tasso di povertà relativa – le persone che vivono con metà del reddito medio pro capite – è rimasto sostanzialmente invariato nei paesi occidentali.

Per esprimere sinteticamente il bilancio economico della globalizzazione si usa spesso "il grafico dell'Elefante" di Branko Milanović che mostra la crescita e la distribuzione del reddito globale dal 1988 al 2008. "In sostanza dalla curva si deduce che: a) il 5% più povero non ha visto aumentare il suo reddito; b) il 65%, che rappresenta la massa dei paesi in via di sviluppo, ha ottenuto rilevanti vantaggi con incrementi tra il 40% e l'80%; c) il 20% successivo, cioè la classe media dei paesi ricchi, ha guadagnato poco o nulla, anzi una parte ha visto il reddito ridursi; d) il 10% in cima alla classifica degli introiti ha ottenuto benefici notevoli (tra il 30% e 60%) che diventano enormi per l'1% più ricco".[19]

La velocità e la qualità (dei servizi e della tecnologia) dello sviluppo dei paesi asiatici è senza precedenti e ciò ha reso il mondo più equo ma più instabile. Nella storia nessuno spostamento di potere economico e politico è avvenuto senza un conflitto. Il detonatore è sempre stato il ritorno dei nazionalisti alla guida di una o più potenze e la chiusura dei mercati. Ricorda qualcosa? I paesi occidentali escono dalla prima fase della globalizzazione più divisi e frammentati, tra di loro e all'interno delle singole società. Insieme alle "linee di faglia" politiche e culturali che dividono il mondo, ne sono emerse altre, altrettanto profonde, che percorrono le nostre società e separano vincitori e vinti. Abbiamo trascurato di curare e gestire le fasi di transizione, ovvero gli effetti di breve e medio periodo di un cambiamento così profondo.

La grande recessione ha fatto venire i nodi al pettine: da allora la maggioranza dei cittadini ha sperimentato una perdita di potere oggettiva e misurabile e ha capito che le contraddizioni del nostro modello di sviluppo potrebbero essere permanenti. La civiltà (occidentale) non è riuscita a rappresentarli e proteggerli, la nazione diventa il naturale sostituto.

La possibilità di uscire da questa crisi dell'Occidente dipende sia dalle politiche interne dei singoli Stati, sia da una correzione di rotta nei rapporti commerciali e politici. Come vedremo più avanti non è un'impresa facile, perché le relazioni internazionali vanno inesorabilmente verso un irrigidimento. Ma l'errore più grave che potremmo fare oggi è gettare via quanto di buono è stato raggiunto.

Per correggere la rotta della globalizzazione, dobbiamo cambiarne la direzione attraverso un'alleanza sempre più stretta tra i paesi che coniugano le regole di un mercato equo con alti standard sociali e ambientali e diventare sempre più intransigenti rispetto ai comportamenti scorretti. Se invece decidessimo di chiudere *tout court* i mercati, perderemmo i vantaggi che la globalizzazione ha portato, senza ricavarne un beneficio in termini di posti di lavoro ormai perduti, e alzando il livello di tensione in un mondo già instabile. La seconda fase della globalizzazione deve essere più selettiva e pragmatica ma va comunque giocata da tutto l'Occidente insieme se vogliamo avere una speranza di correggerne gli squilibri. Nella terza parte del libro cercherò di spiegare come possiamo farlo. Alla correzione di rotta nella dimensione dei rapporti politici ed economici internazionali occorre associare un cambiamento di verso delle politiche interne ai nostri Stati, non solo nella dimensione economica ma anche in quella politica, sociale e culturale. E bisogna soprattutto curare il presente e le transizioni. Non vi è dubbio, ad esempio, che la liberalizzazione internazionale delle merci e dei capitali avrebbe dovuto essere accompagnata all'interno delle società occidentali da un ruolo attivo dello Stato nella gestione delle trasformazioni necessarie ad affrontarla e nella cura degli sconfitti. Più ci si apre all'esterno, più bisogna governare il cambiamento all'interno, e questo è un compito che solo le istituzioni nazionali possono assolvere. Invece è accaduto il contrario. L'applicazione delle stesse ricette liberiste all'interno e all'esterno ha moltiplicato l'effetto di "spiazzamento" di ampi strati della società. Per gestire le ondate di cambiamento provenienti dall'innovazione tecnologica e dalla globalizzazione abbiamo bisogno di ripensare il rapporto fra Stato e mercato e tra crescita economica e crescita sociale in seno alle nostre democrazie. Del resto i casi di successo della globalizzazione sono stati caratterizzati da una presenza forte dello Stato nell'accompagnamento a un'apertura condizionata. La storia dello sviluppo di Giappone, Corea, Taiwan, Cina e India sta lì a dimostrarlo. L'accelerazione dell'innovazione tecnologica investirà le nostre società con una forza persino superiore a quella della globalizzazione. Abbiamo bisogno di uno stato che torni a essere forte e assertivo nel proteggere chi perde e nell'investire per allargare il numero dei vincenti.

Ma quello che prima di tutto dobbiamo chiederci è: come mai non abbiamo corretto la rotta quando ci siamo accorti che l'esito di questo progetto sarebbe stato la marginalizzazione economica e politica dell'Occidente e un aumento delle diseguaglianze insostenibile all'interno delle nostre società?

La risposta è da cercare nella debolezza delle classi dirigenti occidentali che, dopo la caduta del comunismo, non avendo più un avversario politico ideologico da combattere, hanno confidato esclusivamente nella capacità delle forze di mercato di portare a termine la missione di costruire un mondo piatto. La globalizzazione, nata come un grande progetto politico dell'Occidente, è diventata una strategia competitiva degli amministratori delegati operante in un mondo disegnato dagli economisti.

3.
Il declino delle classi dirigenti

L'ideologia del futuro e la retorica dell'inevitabile

Negli ultimi trent'anni le classi dirigenti politiche tradizionali di destra e di sinistra hanno raccontato quanto stava accadendo in modo sempre più semplificato e sempre più convergente. Il futuro ha assunto, in questa narrazione, un ruolo centrale e una connotazione favolistica rispetto ai problemi del presente. La nascita della società della conoscenza e della tecnologia, fondata su professioni e servizi creativi, e delle connesse opportunità, è diventata una litania ripetuta fino allo sfinimento per cercare di rimuovere qualsiasi sintomo di malessere dovuto all'aumento delle diseguaglianze economiche e dei divari culturali.

All'inizio il futuro è stato descritto come un "secondo avvento" e poi, con il tempo, mentre emergevano con evidenza le contraddizioni di una storia più complessa e controversa, un'altra parola si è fatta largo nel discorso pubblico: inevitabile. Il racconto è stato pressappoco il seguente: globalizzazione e progresso tecnologico sono inevitabili e dunque il ruolo della politica e più in generale dell'azione dell'uomo è semplicemente quello di accompagnare e promuovere questi due fenomeni, capaci di trasformare l'*homo sapiens* in *homo deus*, liberandolo da ogni fardello e schiudendogli ogni opportunità. Di conseguenza la politica deve cedere il passo alla tecnica intesa come complesso di norme che regolano l'esercizio pratico e strumentale di una scienza. In questo caso quella economica.

La storia umana conferma che l'uomo tende a progredire e a integrarsi. Dunque la sostanza di questo postulato è senz'altro vera: globalizzazione e progresso sono inevitabili, ma non hanno una traiettoria lineare. Il punto è come questi due fenomeni procedono, che caratteristiche assumono, come distribuiscono i loro effetti. Compito fondamentale della politica è quindi gestire le trasformazioni, rendendole sostenibili. "Il fine è nulla, il movimento è tutto": il famoso motto del socialdemocratico tedesco Eduard Bernstein, che riassume la sua critica al socialismo rivoluzionario, è stato dimenticato proprio dai tanti progressisti, che da quella storia provengono e che hanno invece sposato acriticamente le utopie di fine ventesimo secolo. Per capire e governare le trasformazioni occorre abbandonare la religione della modernità semplice e i suoi dogmi: il tecnofanatismo e il liberismo ideologico.

Nel 2005 Tony Blair al congresso del Partito laburista dichiarò: "Qualcuno dice che dobbiamo mettere in discussione la globalizzazione. Se è così, tanto vale mettere in discussione il fatto che dopo l'estate c'è l'autunno". Sulla stessa linea Bill Clinton, per il quale la globalizzazione era "l'equivalente economico di una forza della natura come il vento o l'acqua".[1] Quello che colpisce delle dichiarazioni dei due leader simbolo dei progressisti post-'89 è la rappresentazione della Globalizzazione come una legge della fisica. Della fisica newtoniana peraltro. Un'idea lineare e semplificata dell'universo e dell'interazione delle forze che lo percorrono. Ma la storia, così come la realtà fisica, è molto più vicina alla teoria della relatività e alla meccanica quantistica. La storia non è come lo spazio newtoniano – "un'immensa scaffalatura nella quale corrono diritti gli oggetti" – bensì un "mare increspato [...] dove esplodono universi e lo spazio sprofonda in buchi senza uscita".[2] E le forze che nella storia agiscono non hanno una posizione definita se non quando collidono, come nella meccanica quantistica appunto. È arrivata l'ora per il pensiero politico, e in particolare per quello progressista, di comprendere che la storia, così come la fisica, è più complessa di quanto ci sia apparsa fino a ora.

Questa concezione newtoniana della storia, delle forze del mercato e dell'innovazione tecnologica, è anche la causa di un apparente paradosso: negli ultimi trent'anni la politica ha parlato molto di futuro ma ha prodotto mediamente politiche poco lungimiranti, riducendo il suo ruolo a mera spettatrice del cambiamento e promotrice dei suoi inevitabili esiti. La ragione di questo paradosso è, però, se ci riflettiamo attentamente, abbastanza evidente. Se il futuro è un luogo perfetto e la strada verso di esso è tracciata da leggi fisiche immutabili, qual è il compito della politica, e più in generale dell'uomo, se non percorrerla disciplinatamente? Nella postmodernità "l'uomo arretra, si sottomette a leggi considerate oggettive (economiche, scientifiche, tecnologiche e, alla fine, psicologiche ed emotive), non dipendenti da nessuna decisione".[3] Ma la storia dimostra che l'uomo è disposto ad arretrare solo fino a un certo punto. Oltre quel limite si ribella e mette a soqquadro il mondo.

La retorica dell'inevitabile e l'ideologia del futuro

hanno danneggiato i partiti progressisti, ma i comportamenti individuali dei leader politici hanno avuto un peso simbolico persino superiore nel determinarne il declino. È difficile trovare un solo esponente politico di spicco che non sia diventato, una volta conclusa la sua carriera politica, consigliere di un grande gruppo bancario, di una multinazionale, di un fondo di investimento o peggio di un regime autoritario. La maggior parte degli ex premier, una volta fonte di ammirazione e ispirazione per milioni di cittadini, non fanno gli imprenditori e non guidano operativamente nessun gruppo finanziario o industriale, ma sono più che altro dei costosi responsabili di pubbliche relazioni e lobbisti di grandi aziende finanziarie e di autocrati stranieri. Una cosa che ricorda ogni giorno ai cittadini, che da questi leader sono stati governati e guidati, la dignità perduta della politica.

I movimenti populisti vincono perché rivendicano il ruolo della politica nel proteggere i cittadini da quello che è stato presentato come ineluttabile, si occupano delle paure contingenti, e rappresentano una precisa scelta di campo contro il potere economico. Una distanza che regge poco alla prova del governo ma che funziona bene quando si è all'opposizione. Non è un caso che dal 2004 al 2017 i voti raccolti dai partiti antiestablishment in Europa (a 15) siano triplicati arrivando sfiorare il 20%. Le soluzioni proposte sono un mix di fuga dalla realtà e di ritorno al passato, ma la forza rassicurante del messaggio esiste, e ancora di più la sua potenza identificativa.

La retorica dell'inevitabile ha allontanato specialmente i giovani da ogni impegno politico. In Italia oltre il 73% dei giovani sotto i 20 anni non si informa sulla politica e, quando lo fa, solo uno su quattro usa fonti documentate. Il 30% dei ventenni non parla mai di politica, nemmeno una volta all'anno, perché non

lo ritiene un tema interessante, perché troppo complicato o perché non ne ha fiducia. I dati sull'astensione
tra i giovani sono spaventosi, se si pensa che gli under
26 che votano a ogni tornata elettorale sono 20 punti
percentuali in meno degli adulti. E del resto quando i
giovani si esprimono, tendono spesso a votare per i
partiti populisti.[4]

Il rapporto tra giovani e politica è paradossale quasi quanto quello tra centralità del futuro narrato e assenza di provvedimenti concreti per raggiungerlo. I
giovani partecipano sempre meno alle elezioni ed evi-
tano ogni attività politica militante, eppure in molte
democrazie la giovane età è quasi diventata un requi-
sito indispensabile per poter concorrere ai più alti posti di governo. E ciò è tanto più sorprendente in società demograficamente anziane come le nostre. E se
è vero che il cv non può essere imbracciato per attac-
care la legittimità di un avversario politico a candidarsi come leader di un governo (si veda il capitolo
successivo), è altrettanto vero che gli elettori dovrebbero naturalmente considerare l'esperienza dei candidati nelle loro decisioni di voto.

Io penso che la predilezione per candidati giovani
(e spesso inesperti) derivi da un altro mito che si è andato affermando nelle nostre società. Se il futuro è l'u-
nica cosa che conta, se la capacità di essere *disruptive*
è riconosciuta essenziale per ogni posto di lavoro di
successo, se infine essere anziani è diventato uno status quasi inaccettabile in un'epoca dominata dal rifiuto dell'età, essere giovani diventa naturalmente un
prerequisito per candidarsi a governare.

Questo mito del "giovanilismo" è un altro clamoro-
so abbaglio della modernità e una delle cause del declino dell'Occidente. Gli antichi romani, che di arte di
governo e di espansione della civiltà qualcosa capiva-
no, prevedevano un percorso fatto a tappe, rigida-

mente regolato, per accedere alle cariche più alte. Il *cursus honorum* aveva alla base l'idea che l'esperienza per governare lo Stato si acquisisce per gradi: *in suo anno*, appunto.[5]

Rappresentanza e competenza

Il populismo ha ridato centralità all'oggi ma soprattutto alla rappresentanza contro la retorica della competenza. L'idea che la tecnica intesa come capacità di mettere in atto politiche predeterminate dalla teoria economica possa rimpiazzare la politica è una delle ragioni del declino delle liberaldemocrazie e delle classi dirigenti politiche tradizionali. In pratica si tratta della trasposizione dei principi della governance internazionale, di cui parleremo nella terza parte, all'interno della politica nazionale. Come comprensibile reazione a questo fenomeno andato avanti per trent'anni, oggi le decisioni di voto dei cittadini sono sempre più orientate dall'identificazione con le leadership piuttosto che da una valutazione sulla loro competenza. In parole povere: voto chi mi somiglia o meglio chi afferma cose che corrispondono a quelle che sento, e in particolare chi mostra di capire la profondità delle mie inquietudini. La competenza, la preparazione e persino la coerenza passano in secondo piano perché nella percezione dei cittadini, e spesso nella realtà dei fatti, non sono state usate per servirli e proteggerli.

Le ideologie sono state per molti anni il collante tra rappresentanza e competenza. L'adesione a un pensiero ideologicamente definito (fascista, cattolico, socialista-comunista, liberale) assicurava un'ampia delega da parte dei cittadini a una classe dirigente che poteva contare su una stabilità (e una pazienza) dell'elettorato molto superiore a quella odierna. "Dopo il 1938 gli esseri umani potevano scegliere fra tre narrazioni globali, nel 1968 le opzioni si erano ridotte a due, nel 1998 sembrava prevalere una singola narrazione; nel 2018 non ne è rimasta alcuna",[6] Cadute le "narrazioni globali" l'elettorato si è fatto più mobile e intollerante rispetto alle classi dirigenti. Non è un'evoluzione negativa, a patto che gli strumenti culturali per comprendere, senza intermediazione, priorità, obiettivi e risultati dell'azione pubblica, vengano potenziati. Così non è stato: ed è anche per questa ragione che "la politica simbolica ha preso il posto della politica reale".[7] Quando i simboli sostituiscono la realtà, i liberali sono destinati alla sconfitta e le proposte politiche identitarie alla vittoria.

Le classi dirigenti liberali hanno pensato di poter sostituire la rappresentanza con la competenza per un trentennio, in forza del fatto che il pensiero liberale era l'unica "narrazione globale" sopravvissuta, compito della politica era esclusivamente applicare tecnicamente i principi di questo pensiero. Ora sta accadendo l'esatto contrario, come era inevitabile. Questa dinamica emerge con evidenza dall'esito delle ultime elezioni politiche italiane. Il M5S è diventato il primo partito, candidando come presidente del Consiglio un giovane di trentuno anni privo di qualsiasi rilevante esperienza professionale. Luigi Di Maio è stato attaccato su questo punto dai partiti tradizionali di destra e di sinistra per tutta la durata della campagna elettorale. Un grave errore. La democrazia non si fonda sul cv, ma sulla rappresentanza, e le elezioni non sono un colloquio di lavoro. La rappresentanza non dipende dalla competenza tecnica ma dalla capacità di essere in contatto con la società. Attaccando Di Maio da questa prospettiva i partiti tradizionali hanno confermato il loro distacco dalla realtà. Ciò non vuol dire sottostimare l'importanza di possedere il bagaglio di competenze necessario a ricoprire un ruolo di governo, come del resto qualsiasi altro lavoro. La nostra società ha bisogno di riscoprire il rispetto per la competenza oggi messa in discussione a tutti i livelli, e anche per questo un investimento massiccio e senza precedenti sull'educazione è urgente e fondamentale, ma non si può pretendere che la competenza sostituisca la rappresentanza come criterio di selezione delle classi dirigenti. La democrazia semplicemente non funziona in questo modo. Gli elettori votano secondo le loro priorità e il loro metro di giudizio. E la capacità di rappresentare idee, inquietudini e speranze è da sempre il primo motivo di scelta per un cittadino che si reca alle urne. Negli ultimi decenni "la politica si è configurata sempre più come un'arte di ingegneria istituzionale anziché come arte di negoziazione tra l'élite e l'elettorato".[8] Un'idea che come detto deriva dalla confusione tra *governance* internazionale e governo democratico di uno Stato nazionale.

Il meccanismo del voto identitario, bollato superficialmente come voto di protesta, che prevale in larga parte dell'Occidente, ha un'altra conseguenza: tende a ignorare i risultati concreti conseguiti dai governi. Un governo che ottiene risultati ma appare sconnesso dalle paure dei cittadini è destinato a perdere. Viceversa un governo manifestamente incapace composto da persone in cui i cittadini si identificano ha comunque una forte capacità di mantenimento del consenso. Il meccanismo psicologico è evidente: se ho scelto una persona che in qualche modo mi somiglia, è più difficile ammetterne l'insuccesso e più semplice ritenerlo vittima di oscuri complotti delle élite o di condizioni di contesto proibitive. Questa è una delle ragioni per cui in Italia il Partito democratico è stato punito dagli elettori, nonostante i risultati economici oggettivamente positivi ottenuti dai suoi governi, mentre il M5S, pur avendo amministrato importanti città italiane, tra cui Roma, in modo disastroso, ha vinto le elezioni. Riannodare un rapporto profondo ed empatico di rappresentanza con la società attraverso un pensiero nuovo che abbia al centro l'uomo, le sue passioni e le sue inquietudini, piuttosto che la tecnica, è l'unica strada perseguibile per sconfiggere i populismi. Non esistono scorciatoie.

4.
Efficienza e giustizia

La strada più facile

La mancanza di etica nel capitalismo contemporaneo è una delle cause fondamentali della sua crisi di reputazione. Non è solo l'immane differenza tra lo stipendio di un ceo e quello di un operaio, arrivata a superare un rapporto di 1 a 300,[1] o i guadagni ingiustificabili di una finanza autoreferenziale, ma un'attitudine più profonda che potremmo sintetizzare con il "cercare sempre la strada più facile".

Una delle ultime crisi aziendali di cui mi sono occupato riguardava una media impresa quotata i cui azionisti, dopo essersi pagati un dividendo di 80 milioni di euro e aver approvato un piano di incentivazione per il top management da più di 7 milioni di euro, hanno varato un piano di ristrutturazione che prevedeva il licenziamento di 400 persone, pur in presenza di un corposo investimento per entrare in nuovi settori di business. Invece di formare una parte del personale esistente per le nuove mansioni, la strada scelta è stata quella di licenziare per poi assumere a un costo inferiore nuovi lavoratori. La strada facile appunto, quella che non considera gli effetti sociali delle decisioni. Ogni giorno ci sono centinaia di casi di questo tipo.

L'assunto di Milton Friedman secondo cui "l'impresa ha una, e solo una responsabilità sociale: usare le proprie risorse e condurre attività studiate per incrementare i suoi profitti, fintantoché rispetti le regole del gioco" è accettabile solo se le regole del gioco non sono scritte dagli stessi che le dovrebbero rispettare. A gradi di libertà crescente concessa alle imprese deve corrispondere una responsabilità sociale parimenti crescente. Così non è stato invece negli ultimi decenni e con l'aggiunta di una prescrizione quasi religiosa: "i mercati non si commentano". Nei cinque anni al governo, ogni volta che ho espresso un giudizio su un'operazione "di mercato", il fuoco di sbarramento dei liberisti ortodossi si è fondato su questo precetto. Il dogma (religioso) uscito dalla politica con l'Illuminismo vi è rientrato con il liberismo. Spesso i governi trovano limiti oggettivi di intervento nel caso di un comportamento ingiusto ma "di mercato". Vietare questi comportamenti è sempre difficile e talvolta impossibile. Ma censurarli pubblicamente non è affatto inutile. In primo luogo la critica esplicita di un governo sortisce spesso l'effetto di moderare l'azione spregiudicata ancorché lecita dell'attore di mercato, e in secondo luogo la solidarietà espressa a chi è vittima di quel comportamento ricostruisce un importante legame di fiducia tra politica e cittadini.

Gli slogan, la riduzione della complessità del reale a una ricetta semplice, diventano particolarmente odiosi quando vengono applicati al lavoro, soprattutto a quello più esposto alle ingiustizie e più fragile di fronte ai cambiamenti. In tutto l'Occidente, per molti anni, abbiamo sentito ripetere una pletora di slogan semplicistici come "proteggere i lavoratori e non i posti di lavoro", che hanno dapprima prevalso, poi disorientato e infine diffuso rabbia e paura in ampi strati della società. Ma cosa vuol dire in concreto questo slogan, che ha dominato il pensiero sul lavoro negli ultimi decenni? Nell'era della Globalizzazione e del cambiamento tecnologico non bisogna giocare in difesa. La mobilità del posto di lavoro è un dato incontrovertibile. Vi è poi un corollario a questa tesi: le aziende che non funzionano vanno chiuse. Il capitale deve trovare un'allocazione più efficiente che genererà altri posti di lavoro. Tutto giusto, dunque? Certamente sul piano teorico, ma su quello pratico?

Utili a rispondere a questa domanda sono due casi che ho affrontato come ministro dello Sviluppo economico, quelli di Embraco e Alcoa.

Lo stabilimento di Riva di Chieri della multinazionale brasiliana Embraco di proprietà del gruppo Whirpool rappresentava lo stato dell'arte in termini di produttività e competenze. Ciononostante Embraco a un certo punto ha deciso di chiuderlo e di redistribuire la produzione nei suoi altri stabilimenti, a partire dalla Slovacchia, dove salari e tasse sono molto più bassi. La vicenda è sintomatica di un problema ben più ampio e dirompente, interno all'Unione europea. I paesi dell'Est, parte del mercato unico e destinatari di ingenti fondi strutturali, essendo in una fase di sviluppo diversa da quelli maturi hanno costi molto più bassi che consentono loro di drenare un numero gigantesco di investimenti e posti di lavoro dall'Europa dell'Ovest. La risposta della Commissione europea e degli opinionisti liberisti è ispirata da un determinismo storico degno di Marx: in qualche decennio i salari e le condizioni di vita si allineeranno e la prosperità complessiva del continente aumenterà. In fondo questo non è altro che la ripetizione del postulato sugli stadi di sviluppo che abbiamo visto essere stato alla base di tutta la prima fase della Globalizzazione. Ma in quel caso si parlava di un unico mercato senza alcuna barriera e protezione e di un continente che speravamo diventasse nazione. E ai lavoratori con diritti acquisiti e stipendi maturati in anni di lavoro che vengono affidati dalla mattina alla sera alle cure dell'assistenza pubblica cosa dovremmo dire? Che il loro posto di lavoro è scomparso per una concorrenza sleale che però si tradurrà prima o poi in un vantaggio per tutti? E quali sono le reali opportunità per un assemblatore di compressori per frigoriferi di cinquantacinque anni, che non può andare in pensione, di trovare un posto "nell'economia della conoscenza"?

È compito dello Stato difendere quei posti di lavoro, esigendo dall'azienda il tempo necessario per trovare un'alternativa industriale, impiegando risorse pubbliche e della stessa azienda uscente per implementarla, e impegnandosi in Europa per cambiare una situazione inaccettabile. Ed è quello che ha fatto il nostro governo attirandosi le solite critiche dei soliti liberisti ideologici. Quando la scelta è tra giustizia ed efficienza, la prima non può essere sacrificata a cuor leggero sulla base dell'efficienza nell'allocazione delle risorse. E non solo per ragioni morali, certamente non secondarie, ma per la tenuta complessiva delle nostre società e degli stessi principi del mercato.

E invece spesso il meccanismo si ripete: l'ingiustizia del presente semplicisticamente barattata in nome di un futuro forse migliore. O forse no, se quegli stessi paesi, sempre meno europei dal punto di vista culturale e politico, dopo aver estratto tutti i benefici possibili dalla presenza nell'Ue, decideranno a un certo punto di prendere una strada più consona alla curvatura sovranista e illiberale che in quelle nazioni sta nettamente prevalendo. Vedremo come andrà a finire, ma la storia per cui i lavoratori devono soffrire per garantire un futuro migliore all'umanità, mentre i profitti delle aziende aumentano, deve cessare, altrimenti a finire saranno l'economia di mercato, il libero commercio e la stessa integrità dell'Unione europea.

Il circolo dei liberisti distaccati

La fabbrica di Alcoa sorge in un'area estremamente povera della Sardegna, il Sulcis. Quando lo stabilimento a partecipazione statale, l'Alumix del gruppo Efim, fu acquisito dalla multinazionale americana nel 1996, produceva 155 mila tonnellate di alluminio primario, fatturava 580 milioni di euro e dava lavoro a circa mille addetti, tra diretti e indotto. Negli anni si era sviluppato un polo dell'alluminio che andava dalla lavorazione della materia prima, la bauxite, nello stabilimento di EurAllumina a poche centinaia di metri da Alcoa, fino alla trasformazione in pani e billette.

La crisi inizia nel 2009 con l'apertura della vertenza sindacale per la riduzione dell'occupazione causata dagli ingenti costi operativi quali il prezzo dell'energia, il costo delle materie prime e l'obsolescenza degli impianti. Ma è nel 2011, quando si verifica una forte flessione nel mercato dell'alluminio (-27% al London Metal Exchange), che la situazione precipita: a gennaio dell'anno successivo Alcoa annuncia la chiusura dell'unità di Portovesme, all'interno di un piano di ristrutturazione globale dell'azienda. Ad agosto 2014 lo Smelter di Portovesme – il cuore della fabbrica – cessa ogni attività produttiva e i lavoratori sono quasi tutti sospesi a zero ore. Dalla fabbrica però non si allontanano, iniziando un presidio accanto allo stabilimento, che ancora dura.

Ma perché Alcoa è stata considerata una fabbrica irrecuperabile? La crisi dello stabilimento ex Alcoa

60

nasce anche perché abbiamo dato per scontato che l'alluminio non potesse essere più prodotto nel nostro continente, nonostante Italia ed Europa lo importino in modo massiccio. Una derivata del più ampio teorema della scomparsa dell'industria manifatturiera, in particolare quella pesante, dai paesi occidentali, diffuso da una larga parte del pensiero economico e acriticamente accettato dalle leadership politiche. In realtà il problema era legato al costo dell'energia per le imprese industriali cosiddette energivore. Una patologia che origina dal costo degli incentivi per le rinnovabili, che in Italia ammontano a circa 13 miliardi di euro all'anno. Incentivi dati in passato senza alcun criterio e il cui costo è stato scaricato per più del 70% sulle imprese e per il 30% sui consumatori privati. In un mondo dove il consumo conta più del lavoro non valeva la pena spendere un euro al mese a famiglia per mantenere competitive 3000 aziende e salvaguardare 500 mila posti di lavoro. Varando una normativa sugli sconti alle imprese energivore, in linea con quella degli altri paesi europei, abbiamo posto le condizioni per il riavvio dell'impianto. Dopotutto gli operai di Alcoa, che hanno difeso e custodito la fabbrica ferma per molti anni, hanno dimostrato più lungimiranza di quei liberisti ideologici e distaccati che io definisco da "Circolo del whist", e che anzitempo avevano decretato la fine dell'industria pesante in Italia. Anche per questo abbiamo deciso di sperimentare, per la prima volta, proprio in Alcoa, l'ingresso dei lavoratori nel capitale e nella *governance* della nuova azienda che ha rilevato l'impianto. La fase di rilancio è appena partita e gli esisti non sono scontati ma questa sfida, anche simbolica, doveva essere accettata.

61

Il rifugio degli sconfitti

Non è un caso che Trump sia partito proprio da alluminio e acciaio per inaugurare la nuova stagione del protezionismo "America First". Un atto al tempo stesso simbolico e dirompente. L'industria dell'acciaio è stata distrutta dalla competizione scorretta cinese dovuta a una sovrapproduzione largamente incentivata dallo Stato in barba a ogni norma del Wto. Pochi sanno che Ue e Stati Uniti avevano già reagito a questa situazione prima dell'arrivo di Trump imponendo dazi antidumping, ammessi dai trattati internazionali, e negando alla Cina il riconoscimento dello status di economia di mercato che imprudentemente le era stato anticipatamente garantito, per quello stesso anno, al momento del suo ingresso nel Organizzazione mondiale del commercio nel 2001 a prescindere dal riscontro sull'effettiva trasformazione dell'economia cinese in economia di mercato. In un primo momento l'Ue aveva deciso di riconoscere *tout court* lo status di economia di mercato alla Cina anche sulla base di un parere del servizio giuridico della Commissione che, se non seguito, avrebbe consentito alla Cina di fare causa alla Ue presso la Corte di giustizia dell'Unione europea! Un esempio lampante dell'inadeguatezza dell'attuale assetto istituzionale europeo di fronte a questioni di enorme rilevanza economica e politica. Nessun altro paese al mondo ha degli "avvocati" che esprimono pareri vincolanti contrari all'interesse nazionale. Per fortuna dopo una lunga e difficile battaglia, che ha visto l'Italia in prima linea, da sola per un lungo periodo, siamo riusciti a correggere la rotta.

L'esito di questa azione di riequilibrio, pur tardiva e non sufficiente, è stato il ritorno alla profittabilità dell'industria dell'acciaio e degli investimenti in tale settore (in Italia a partire dai poli siderurgici di Piombino e Ilva, quest'ultimo a oggi il più grande d'Europa), con la salvaguardia di milioni di posti di lavoro. La crisi dell'industria pesante è il simbolo dei guasti della prima fase della globalizzazione. Abbiamo accettato per anni, a spese di imprese e lavoratori, una disastrosa distorsione della concorrenza, spinti da una consistente parte del pensiero economico liberista che invece di difendere i princìpi del libero mercato ha difeso il mercato senza princìpi. Ma perché lo abbiamo fatto? La teoria di riferimento è quella delle catene globali del valore, a cui abbiamo già accennato. Un prodotto si compone di tante parti tangibili e intangibili (ad esempio il marketing) che in un'economia globalizzata sono distribuite in tutto il mondo. Più un paese si concentra sulla parte a maggior valore aggiunto del processo, importando dai paesi a basso costo della produzione quelle a minor valore, più diventa ricco e competitivo. Nel caso di acciaio e alluminio, importare dalla Cina questi prodotti a un prezzo molto basso consente ad esempio all'industria automobilistica europea e americana di essere più competitiva, mantenendo sul proprio territorio l'assemblaggio dei componenti, il design, la ricerca, il marketing ecc.

Ho usato il termine "teoria", ma avrei dovuto piuttosto parlare di "realtà" delle catene globali del valore, visto che oggi, come ho già scritto, due terzi del commercio mondiale è composto di beni intermedi. Assecondare le catene globali del valore sembra dunque una strategia corretta che trova conferma nei dati. Eppure anche qui la realtà è più complessa e l'esatta gestione delle fasi di transizione risulta cruciale. Un'interpretazione rigida e meccanica del principio delle catene globali del valore trascura infatti di considerare tre effetti: i costi umani e sociali della scomparsa di interi settori produttivi, la dipendenza strutturale dall'import a seguito della chiusura di impianti difficilmente ripristinabili, il vantaggio competitivo posseduto da un'economia non di mercato come quella cinese, grazie alla parziale chiusura del suo immenso mercato di consumo e il gigantesco surplus commerciale che deriva dai prodotti "poveri" venduti in dumping, per "scalare" la catena del valore fino a diventare essa stessa produttrice di oggetti sempre più elaborati e competitivi.

È molto difficile comparare i vantaggi di lungo periodo che si ottengono dall'accettare il dumping funzionale a una politica industriale che sposa i princìpi delle catene globali del valore, con un approccio che privilegia comunque la difesa dei settori produttivi dai comportamenti scorretti. Nella mia azione all'interno del Consiglio europeo del commercio ho sempre agito seguendo quest'ultima linea. Ritengo infatti che il dumping vada contrastato non solo per ragioni di giustizia e costi sociali connessi, ma anche e soprattutto per mantenere l'integrità del sistema internazionale degli scambi, che deve essere regolato secondo criteri di concorrenza leale. Un approccio che spesso si è scontrato con il cinismo della Germania, capace di cambiamenti repentini al mutare dei suoi interessi economici. Il primo caso di dumping su cui sono stato chiamato a prendere una decisione riguardava i pannelli fotovoltaici prodotti in Cina. Un caso sollevato proprio dai produttori tedeschi. L'Italia non aveva interessi forti in quel settore. Decisi comunque di votare a favore delle misure antidumping, insieme a Francia e Spagna, per affermare il principio che comportamenti scorretti vanno sempre sanzionati. Peccato che dopo un incontro tra la Merkel e la leadership cinese, e la relativa promessa di contratti miliardari, proprio la Germania optò per un completo voltafaccia. A quel punto i cinesi adottarono misure di ritorsione sui vini, destinate a colpire selettivamente Francia, Spagna e Italia. Alla fine un compromesso tra Ue e Cina salvò la situazione. Amara ma utile lezione sulla puntuale indisponibilità tedesca di agire nell'interesse dell'Ue, anche a costo di far perdere la faccia all'Europa di fronte al suo principale concorrente commerciale.

Tornando agli Stati Uniti, Trump si è spinto oltre quanto già fatto dalle amministrazioni precedenti per difendersi dal dumping e, adducendo ragioni di sicurezza nazionale, ha imposto dazi protezionistici a larghissimo raggio, ovvero non collegati a comprovati comportamenti scorretti. Ciò rappresenta di fatto una rottura dei presupposti che regolano il sistema del commercio mondiale. Un sistema interconnesso, perché la produzione di acciaio e alluminio, che non potrà più dirigersi verso gli Stati Uniti, rischia di essere dirottata verso l'Europa, danneggiando le nostre imprese. L'effetto "domino" delle misure protezionistiche è inevitabile. Per questa ragione abbiamo attivato un meccanismo di salvaguardia che scatterà se si dovessero verificare eccessi di import derivanti dal protezionismo americano. Lo scontro commerciale si va inasprendo. Dopo le rappresaglie europee su alcuni beni simbolo della produzione americana, il confronto si sta spostando sulle auto dove, nonostante il surplus commerciale europeo, i nostri dazi sono superiori a quelli americani. Per Trump la questione commerciale non ha più a che fare con la pretesa del rispetto delle regole e la costruzione di un sistema di scambi più equo ed equilibrato, ma con la diminuzione a qualsiasi costo del deficit commerciale americano. L'azione di Trump è sbagliata perché rischia di travolgere l'intero sistema delle relazioni economiche internazionali, ma gli squilibri di una crescita economica fondata su surplus commerciali europei e asiatici sempre maggiori e l'aumento dell'indebitamento pubblico e privato americano non possono per questo essere ignorati.

Non aver difeso con sufficiente forza e tempismo le nostre economie dai comportamenti commerciali scorretti dei paesi emergenti sta portando oggi al crollo del sistema del commercio mondiale. Il caso dell'acciaio è un monito per tutti sui guasti che un approccio ideologico al mercato ha determinato per le aziende, i lavoratori e in ultima istanza per il principio stesso dell'economia aperta.

Catene globali del valore e mobilità strutturale dei lavoratori (che ho riassunto con "difendere i lavoratori piuttosto che i posti di lavoro") hanno entrambe un valido riscontro in termini di efficienza, ma se diventano dogma e superano i confini della giustizia e del rispetto delle regole, allora lo Stato deve intervenire per ripristinare la corretta gerarchia dei valori, anche nel caso in cui questa scelta sia meno efficiente da un punto di vista economico.

Far prevalere regolarmente l'efficienza sulla giustizia indebolisce le fondamenta di una democrazia liberale e la stessa economia di mercato. L'ascesa di Trump negli Stati Uniti è la prova che i cittadini cercano un riequilibrio di questi due valori e una protezione dai dogmi economici e politici di questi ultimi trent'anni. La nazione, i confini, le barriere, i dazi sono il rifugio degli sconfitti. Trincee fragili ma che offrono comunque una protezione almeno psicologica dall'ottusità anche comunicativa dei leader progressisti. Quando ci indigniamo per lo slogan "America First" dovremmo ricordarci che è semplicemente la constatazione di una realtà. Qualsiasi capo di governo è eletto per difendere in primo luogo l'interesse della sua nazione: è il principio fondativo della rappresentanza.

5.
Cultura *vs* Civiltà

Il problema irrisolto della civilizzazione

Nei paesi non democratici, leader forti dominano o sembrano dominare il potere economico in nome della difesa dell'interesse nazionale. Anche in questi casi esiste un profondo conflitto di interesse a cui si aggiunge spesso un'endemica corruzione. Ma la percezione dei cittadini è che nonostante ciò il potere statuale prevalga rispetto a quello economico, mantenendo intatte la sua dignità e la sua forza. Le democrazie non appaiono dunque solo meno capaci di proteggere i cittadini e preservare l'identità dei popoli, ma paradossalmente persino meno etiche. Erdogan, Putin, Modi, Xi sembrano finalmente in grado di ricongiungere politica e potere a vantaggio della nazione, se non dei cittadini. Molti leader occidentali hanno iniziato a seguirne l'esempio. E molti altri ne verranno. "Nel 1995, il 34% dei giovani americani tra i diciotto e i ventiquattro anni riteneva che il governo di un leader forte, libero dai condizionamenti del Congresso e delle elezioni, fosse un modo buono o molto buono per guidare la nazione. Nel 2011 la percentuale era salita al 44%."[1] Nel 2016 sono stati parzialmente accontentati.

Teniamo però a mente che anche quella che stiamo vivendo oggi è una transizione. Sappiamo per esperienza che nazionalismo e autoritarismo tendono a collassare dopo la luna di miele con l'opinione pubblica, perché non sono capaci di digerire le contraddizioni che lo sviluppo genera in ogni società. Anche la Cina, oggi apparentemente trionfante quanto ieri lo era stato l'Occidente, deve gestire immani sfide che appena due anni fa avevano suggerito non solo un rischio di *hard landing* della crescita ma anche l'esplosione di una crisi finanziaria, per ora in parte abilmente controllata e in parte nascosta. Non dovremmo trarre alcuna soddisfazione da questa prospettiva. Più i regimi nazionalisti entrano in difficoltà più diventano aggressivi. Vale per la Russia in Ucraina e in Siria, per la Turchia in Medio Oriente e per la Cina nel Mar Cinese meridionale.

Il nazionalismo in India, Cina, Europa dell'Est, Russia, Turchia, e persino negli Stati Uniti, ha radici culturali molto profonde. Non è la prima volta nella storia dell'uomo che a fasi di apertura, sviluppo e razionalismo seguono fasi di chiusura e ritorno al passato. È quanto accaduto in Europa nel diciannovesimo secolo con la reazione romantica all'Illuminismo sul piano culturale e filosofico, e del nazionalismo al liberalismo borghese su quello politico, e poi nuovamente nella prima metà del ventesimo secolo con l'affermarsi dei totalitarismi. Esiste una causa che parte dalla condizione umana per questo alternarsi tra società aperta e nazionalismo. Nella società liberale, positivista e razionale l'uomo cerca di soddisfare i suoi bisogni individuali e in questa ricerca contribuisce al progresso e allo sviluppo della stessa società. Ma contemporaneamente gli individui sono più esposti non solo a una solitudine esistenziale e a una mancanza di scopo, ma anche a una "invidia esistenziale" o *ressen-*

timent "innato nella struttura delle società in cui l'uguaglianza formale tra individui coesiste con enormi differenze di potere, istruzione, status e patrimonio personale".[2] Questo alternarsi tra apertura e chiusura, internazionalizzazione e nazionalismo, ottimismo e "retrotopia", positivismo e tradizione è simile a un percorso emotivo individuale, che passa da fasi di slancio e fiducia a fasi di cupo pessimismo e ripiegamento alla ricerca di un conforto in ciò che è vicino e conosciuto. Purtroppo in un mondo caratterizzato da paure globali difficilmente si raggiunge una reale rassicurazione chiudendosi dentro confini fragili e aleatori. La degenerazione verso un nazionalismo aggressivo, sempre in cerca di nemici interni ed esterni, diventa un inevitabile effetto di questa frustrazione.

Pankaj Mishra, nel suo saggio *L'età della rabbia*, riconduce questo contrasto alla battaglia tra Voltaire e Rousseau che già Nietzsche identificava con "il problema irrisolto della civilizzazione". Mentre Voltaire vedeva nell'individualismo e nell'amor proprio lo strumento per la nascita, la conservazione e il progresso della civiltà, Rousseau li considerava la fonte di odio ed emarginazione.

Apertura *vs* nazionalismo. Modernità *vs* tradizione. Civiltà *vs* cultura. Le contrapposizioni di ieri sono quelle di oggi perché rappresentano altrettante contraddizioni dell'animo umano, che in un mondo secolarizzato, globalizzato e dominato dalla tecnica diventano ancora più esplosive. Inoltre, come scrive Bill Emmott, "le società occidentali, operano in modo così libero, decentralizzato e poco strutturato, che le loro virtù essenziali rischiano facilmente di essere date per scontate, se non addirittura ignorate o sovvertite, non soltanto da nemici esterni, ma anche dall'inettitudine, dalla sete di potere e dalla disonestà dei suoi stessi membri".[3]

Il progetto universalistico dell'Occidente non ha tenuto in conto l'importanza per l'uomo della tradizione e della cultura, di cui ha persino postulato lo sradicamento come premessa allo sviluppo e alla pace, ma anche il fatto che all'aumento della libertà individuale dovesse corrispondere un progresso culturale e sociale di pari valore. Se gli individui, in una società liberale, secolare, razionalista, democratica e consumista, sopportano per intero il peso della libertà, delle scelte e della decisione di cosa valorizzare e cosa no (ad esempio attraverso gli stili di consumo e il voto), devono ricevere gli strumenti culturali per superare l'alienazione che da questa organizzazione umana periodicamente scaturisce, per contribuire effettivamente con i loro liberi comportamenti individuali all'avanzamento di tutta la società. Su questo tema tornerò nella seconda e nella terza parte del libro. Sono convinto che molti dei problemi che affrontiamo scaturiscano da questo iato tra libertà, cultura e comunità.

Progressisti senza progresso

Nonostante la convergenza della narrazione tra destra e sinistra tradizionali, la crisi della politica colpisce soprattutto i partiti progressisti. Per la destra esiste infatti una naturale posizione di ripiego nel nazionalismo identitario, per i progressisti no. Quello che sta prendendo piede in molti paesi occidentali è un modello di nazionalismo fondato su valori conservatori, identità chiusa, individualismo economico, meno libertà civili, sovranismo, prevalenza del presente sul futuro. Un conservatorismo antico per alcuni anni abbandonato a favore di un liberalismo che, in fondo, non appartiene alla storia antica della destra e che può facilmente degenerare in una democrazia illiberale e un nazionalismo aggressivo. Il liberalismo (e anche il liberismo) nasce in opposizione al conservatorismo. Il conservatorismo vede il cambiamento come una minaccia e un pericolo per l'ordine sociale. "La continuità della tradizione è centrale all'idea di conservatorismo. La filosofia liberista assume un atteggiamento del tutto diverso, riponendo le proprie speranze per il futuro nella crescita economica senza fine prodotta dalla liberazione delle forze di mercato."[4] Proprio per questo è oggi più difficile per i partiti progressisti trovare una nuova strada. A meno di non tornare al socialismo. Ma questa possibilità è esclusa dal fatto che mentre il nazionalismo piega facilmente il capitalismo ai suoi scopi e limita solo parzialmente la libertà economica, il socialismo ne è naturalmente antagonista.

I dogmi politici ed economici degli ultimi trent'anni: libertà economica, merito, internazionalismo, società aperta, multiculturalismo, appartengono molto più ai progressisti che alla destra. Per questo oggi sono soprattutto i progressisti a pagare il prezzo del fallimento percepito della Globalizzazione. Nell'ultima campagna elettorale americana, quando a Hillary Clinton chiesero qual era la sua proposta sul problema della disoccupazione, lei ribatté: "Non ho una risposta pronta".[5] Se cadono le illusioni della "società aperta" a partire dal postulato delle opportunità per tutti offerte da libero mercato e innovazione tecnologica, i progressisti non sanno più a che santo votarsi. La retorica della società aperta che ha rappresentato il linguaggio dietro il quale i partiti di sinistra hanno nascosto la loro migrazione dal socialismo democratico al liberismo è quanto più spaventa oggi i cittadini occidentali. Aperta a chi? A cosa? Alla prossima ondata migratoria, al prossimo tsunami finanziario? Per questo i partiti progressisti stanno rapidamente sparendo in tutto il mondo. Per questo è particolarmente urgente ricostruire una nuova identità progressista. La "grande sconfitta" è soprattutto la loro (nostra) sconfitta.

Esiste un'altra ragione per la quale i progressisti sono in crisi in tutto l'Occidente, la pressione di quella che Ulrich Beck chiama "la sub-politica": le Ong, i gruppi che si attivano su una causa specifica, i No-Vax, i vegani ecc. Questi movimenti, molto diversi tra loro, sono nati sulle tematiche ambientali prima che i partiti politici ne riconoscessero l'importanza e in molti casi questi movimenti di opinione sono stati inclusi nei processi decisionali in modo formale, al punto che associazioni di rappresentanza di interessi non economici sono oggi regolarmente consultati prima di prendere decisioni nelle materie di loro interesse. Questa inclusione della sub-politica rappresenta una fondamentale e positiva evoluzione della democrazia.

Ma negli ultimi anni, anche grazie ai nuovi media, la sub-politica ha acquisito un'importanza sempre maggiore, mettendo sotto pressione la politica tradizionale dal basso, come la globalizzazione l'ha messa dall'alto. "I consumatori di molti fatti e verità in competizione, e spesso in contrasto, sono sempre più confusi, sfiduciati e disorientati. Essi tendono a formare gruppi omogenei di uguale sentire: si fidano solo dei fatti che avvalorano le loro personali concezioni e sentimenti".[6] Sempre di più nascono movimenti che danno rappresentanza a chi rifiuta *tout court* la modernità. Dai vaccini, alle opere pubbliche ai nuovi integralismi alimentari. Lo scontro con il potere statale e dunque con la politica tradizionale è spesso inevitabile. Questi movimenti non rappresentano una nuova "base di classe" per i partiti progressisti, mentre contribuiscono a frammentare quello che una volta era il loro elettorato di riferimento.

Una Terza via mai imboccata

La Terza via ha rappresentato l'ultimo tentativo di sistematizzare il pensiero progressista dopo il crollo del comunismo e l'entrata in crisi del pensiero socialdemocratico classico. Rileggendo oggi il *Manifesto per la rifondazione della socialdemocrazia*, scritto da Anthony Giddens nel 1998, alcune considerazioni vengono piuttosto naturali.

Il manifesto incorpora una visione piuttosto ottimistica sulla possibilità di implementare una società multiculturale e di gestire la globalizzazione in modo che porti benefici a tutti. Vi è tuttavia una chiara presa di posizione sul fatto che la globalizzazione non è e non va trattata come una "forza naturale" che è impossibile governare. Al contrario, lo Stato "deve reagire strutturalmente alla globalizzazione", pur assecondandone le conseguenze in chiave di devoluzione di potere.

La dimensione di un nuovo "individualismo istituzionale" che non minacci la solidarietà sociale e superi le categorie contrapposte di individualismo e collettivismo ereditate dalle ideologie del Novecento presupponeva un ruolo attivo dello "Stato come investitore sociale".

Il motto fondamentale della Terza via – "nessun diritto senza responsabilità" – doveva "essere valido non solo per i beneficiari del welfare, ma per chiunque". Per Giddens è importantissimo "che i socialdemocratici lo ribadiscano, poiché altrimenti si potrebbe ritenere che il precetto si applichi soltanto ai poveri e ai bisognosi come tende ad avvenire nella destra politica".[7]

Il tema di "come dovremmo vivere dopo il declino della tradizione e del costume e come ricreare solidarietà sociale"[8] che era al centro del ragionamento di Giddens è stato del tutto abbandonato dalle leadership politiche che, a parole, alla Terza via si sono ispirate.

Possiamo sostenere che i leader progressisti abbiano tratto dalla Terza via solo e unicamente le cose più semplici da mettere in pratica, in particolare il ridimensionamento oltre che il rinnovamento dello stato sociale, trascurando così le parti che prevedevano un ruolo attivo del potere pubblico?

Io credo di sì. La semplificazione dei messaggi della Terza via è stata l'escamotage delle classi dirigenti progressiste per giustificare l'adesione incondizionata alle idee liberiste. Ciò è accaduto in particolare per quanto riguarda la questione della mobilità sociale. La sostituzione di un sistema di garanzia degli "esiti" con un sistema di garanzia delle "opportunità" e una selezione dei vincenti sulla base del merito non ha sortito gli effetti sperati. La mobilità sociale si è ridotta in quasi tutto l'Occidente: "Le prospettive di miglioramento riguardavano circa il 90% dei bambini nati nel 1940 e solo il 50% dei bambini nati negli anni ottanta" e li si è fermata. E non è soltanto una questione di crescita: "Anche simulando una crescita del Pil ai livelli sperimentati negli anni quaranta e cinquanta, ma con la stessa dinamica distributiva odierna, la mobilità sociale assoluta aumenterebbe (solo) al 62%."[9]

La crescita economica non è una condizione sufficiente a risolvere la questione della diseguaglianza e della mobilità sociale, in particolare se per ottenerla si mettono in atto politiche che tendono a favorire i più abbienti nella speranza che i loro consumi o gli investimenti determinino una maggiore giustizia sociale. L'alta marea non solleva più necessariamente tutte le barche.

Giddens aveva identificato con chiarezza il rischio di un'idealizzazione della mobilità sociale e del merito come meccanismo di attribuzione dei premi: "A meno che non si accompagni a un cambiamento strutturale nella distribuzione dei posti di lavoro, che per definizione può essere solo transitoria, una società meritocratica avrebbe anche una grande mobilità verso il basso. Molti scenderanno perché altri salgano. Eppure come hanno dimostrato molte ricerche, una diffusa mobilità verso il basso ha conseguenze socialmente sconvolgenti e produce sentimenti di alienazione tra coloro che ne sono colpiti. Una mobilità verso il basso su larga scala sarebbe altrettanto minacciosa per la coesione sociale che l'esistenza di una classe ostile di esclusi. In ogni modo, una società pienamente meritocratica non è solo irrealizzabile, è un'idea autocontraddittoria".[10]

I pilastri economici, sociali e culturali delle democrazie liberali

Per garantire la tenuta di una democrazia liberale occorrono alcuni elementi molto difficili da assicurare in un mondo globalizzato e tumultuoso.

• La fiducia nel futuro. Le società liberali sono per definizione in divenire, in un continuo movimento che deve essere percepito come orientato al progresso e alla diffusione del benessere (i miei figli staranno meglio di me). L'instabilità insita in questo modello di società deve necessariamente essere controbilanciata da una diffusa e radicata fiducia nel futuro.
• Le aspettative devono trovare riscontro nel pre-

75

sente, nel miglioramento della distribuzione dei vantaggi ai cittadini, altrimenti, anche in presenza di un incremento generale della ricchezza, la rabbia e il risentimento crescono e destabilizzano il sistema.

• La velocità dei cambiamenti deve essere commisurata alla capacità dei cittadini di comprenderli e adattarvisi. Ciò implica che le dimensioni in cui operiamo, spazio e tempo, tradotti in velocità e confini fisici e virtuali, non possono liberamente contrarsi o espandersi ai ritmi decisi dall'innovazione tecnologica, della scienza o delle esigenze dei mercati.

• In ultimo, una società libera deve consistere anche in "una rete di obblighi morali" e in una solida dotazione sociale, culturale, non solo tecnica, che consenta di sostenere il peso di un'identità più flebile e di una libertà a tratti "spaventosa". Il capitale sociale rappresenta il patrimonio più importante di una democrazia liberale. Una sua consistente erosione mette in pericolo tutta la costruzione.

• Occorre bilanciare il rapporto tra efficienza delle soluzioni tecniche per governare e il rispetto dei princìpi di giustizia ed equità.

• La politica non deve credere di poter sostituire la rappresentanza con la competenza e le idee con la tecnica. La retorica dell'impopolarità delle scelte giuste è una contraddizione del principio democratico e un'abdicazione del ruolo della politica. Compito della politica è far diventare popolari le scelte giuste.

Per assicurare che questi elementi non vengano meno, occorre uno Stato forte per proteggere, investimenti per accompagnare le trasformazioni e cittadini molto più consapevoli e preparati per affrontarle. Recuperare il valore dello Stato non è solo una questione politica ma anche culturale. L'idea di nazione è stata mandata in soffitta dai progressisti troppo presto.

L'internazionalismo era patrimonio della tradizione socialista ed è servito ai progressisti per trovare una propria radice culturale nella globalizzazione economica. Ma le condizioni storiche per il superamento della patria non c'erano negli anni novanta e certamente non ci sono oggi. I progressisti devono riproporre un'idea di "patriottismo inclusivo"[11] che si opponga al sovranismo sul piano dei valori di riferimento – in particolare rifiutando la declinazione etnica dell'idea di patria e quella aggressiva del nazionalismo –, ma riconosca l'importanza del binomio Stato-nazione come comunità di appartenenza e sistema di interessi e valori da difendere e promuovere. Ciò non vuol dire auspicare il ritorno dello statalismo. La forza non è data dalla dimensione del campo in cui lo Stato opera. Anzi, al contrario, abbiamo bisogno di concentrare l'azione dello Stato per renderla più incisiva, così come occorre preparare i cittadini ad affrontare la libertà di un sistema sociale e politico che altrimenti disorienta e spaventa.

Negli ultimi anni nessuno sforzo reale è stato fatto in queste due direzioni nella convinzione che le forze del mercato, del progresso tecnologico e l'ampliarsi delle scelte a disposizione dei cittadini avrebbero agito da sole, portandoci verso un futuro perfetto. Così non è stato. Dobbiamo tenere bene a mente che il nostro attuale modello di società è reversibile. È accaduto in passato e sta riaccadendo oggi.

Parte seconda

Il futuro.
La paura

Only a Sith deals in absolutes.

Obi-Wan Kenobi

1.
La tecnologia sottometterà l'uomo?

Si stava meglio quando si stava peggio

Come rileva Yuval Noah Harari all'inizio del suo *Homo deus. Breve storia del futuro*, tracciando un bilancio dell'umanità, l'uomo, dopo aver sostanzialmente messo sotto controllo la fame, le pestilenze e la guerra, si avvia a definire traguardi ancora più ambiziosi per il prossimo secolo. Gli obiettivi del genere umano saranno: immortalità, felicità e divinità. Fame, malattie e guerre continuano a esistere, ma in misura molto inferiore rispetto al passato: "Per la prima volta nella storia le malattie infettive uccidono meno individui dell'invecchiamento, le carestie meno dell'obesità e le violenze meno degli incidenti".[1] I dati confermano che l'umanità è allo zenit del suo progresso materiale, eppure pochi cittadini occidentali sarebbero d'accordo. Ciò è in parte dovuto a quanto descritto nei precedenti capitoli: la maggior parte dei progressi negli ultimi trent'anni si è concentrata fuori dall'Occidente, mentre ha riguardato solo una minoranza di persone nelle nostre società. Questa è una delle ragioni per cui il futuro si è trasformato nel luogo delle promesse mancate prima e in quello della paura poi, ma non è l'unica.

Si profila all'orizzonte un salto antropologico che non siamo preparati a comprendere e gestire prima di tutto culturalmente. Automazione, esoscheletri, big data, algoritmi, intelligenza artificiale, auto che si guidano da sole, genetica, farmaci intelligenti, nanotecnologie; nei prossimi anni saremo investiti da una quantità di innovazione e progresso scientifico mai sperimentata prima. *Homo deus*, *Homo premium*, *Homo digitale* ecc. sono etichette misteriose e inquietanti che dilagano nel dibattito pubblico. "La gente comune può non comprendere l'intelligenza artificiale e le biotecnologie, ma è perfettamente in grado di accorgersi che il futuro la sta travolgendo".[2] Che ne sarà dell'uomo e della società quando la felicità potrà essere raggiunta prendendo una pillola e l'aspettativa di vita supererà i 100 anni?

Ma anche se si abbandonano le prospettive lontane, che pure spaventano molto, rimane il fatto che l'ipervelocità del cambiamento supera la capacità dei sistemi politici, economici, sociali e culturali di adattarvisi. Non è mai accaduto prima nella storia dell'umanità. Quello che percepiamo è uno stravolgimento di tutti i punti di riferimento dell'umanesimo. A partire dalla centralità dell'uomo e dalla possibilità di rimanere soggetto del cambiamento e non oggetto della tecnica. Soprattutto per questo per la prima volta negli ultimi secoli i giovani hanno una percezione negativa della parola progresso. "L'idea di progresso comporta ormai soprattutto una minaccia di cambiamento inesorabile e inevitabile."[3] E come necessariamente accade in una economia fondata sui consumi la forza e la diffusione delle inquietudini condiziona l'offerta, politica, culturale, commerciale e mediatica che finisce per amplificare quelle stesse paure.

Non è un caso se assistiamo all'aumento esponenziale dei film con ambientazione in un futuro cupo, pericoloso o apocalittico. Un menu infinito di catastrofi climatiche, guerre, società dominate da macchine disumanizzate, virus letali, zombi ecc. Certamente l'uso degli effetti speciali ha aperto la strada a tutta una serie di nuove possibilità di rappresentazioni catastrofiche, ma la scelta di produrre un così grande numero di film, serie televisive e videogame che hanno come sfondo un futuro terrificante, determinato dalla tecnologia, riflette anche il desiderio di dare forma a una paura profonda che si è impadronita dell'uomo: abbiamo perso il controllo sul nostro futuro. Un bizzarro meccanismo quello del cinema americano, che non diffonde più l'"american way of life" ma al contrario propone un'immagine negativa del progresso, della tecnologia e persino del capitalismo.

Come scrive Mark Fisher nel suo *Realismo capitalista*: "L'anticapitalismo è ampiamente diffuso tra le pieghe del capitalismo stesso: quante volte nei film di Hollywood il cattivo di turno altri non è che qualche cattivissima corporation?". La tesi di Fisher è che si tratti di un "anticapitalismo gestuale che, anziché indebolire il realismo capitalista, finisce per rinforzarlo".[4] Sia come sia è evidente che dai cartoni animati ai film è difficile trovare un segnale di ottimismo rispetto allo stato delle società occidentali o al loro futuro. La proliferazione dei supereroi ricorda del resto quella degli stessi personaggi, nella versione a fumetti, a ridosso della Seconda guerra mondiale nata nell'ambiente ebraico americano. Un Golem collettivo che riappare in tutti i momenti in cui il futuro torna a essere il luogo della paura, come accadde peraltro anche nella fase più acuta della Guerra fredda.

Fino ai primi anni del ventunesimo secolo il progresso scientifico è stato visto – nonostante alcune rilevanti crepe rappresentate dalla bomba atomica e dal sorgere, successivamente, della questione ambientale – come la garanzia di un futuro di benessere per l'umanità. La conquista dello spazio e della Luna simboleggiava la potenza dell'uomo, l'energia nucleare prometteva elettricità pulita e a basso costo, e successivamente internet un mondo piatto e la democrazia perfetta. Oggi, al contrario, la percezione è che il progresso porti a un nostro arretramento esistenziale. Secondo un sondaggio condotto a settembre 2018 da Pew Research Global le persone che ritengono (certi o quasi certi) che "i robot ruberanno molti lavori fatti oggi dagli uomini sono l'89% in Giappone, il 65% negli Stati Uniti, il 72% in Italia". Possiamo pensarla come ci pare circa le possibilità che i nuovi lavori sostituiscano i vecchi lavori che si perderanno ma dobbiamo fare i conti con questa percezione diffusa. Ma non è solo una questione di perdita di occupazione. Usiamo ogni nuovo oggetto che l'innovazione e il mercato ci rendono disponibili ma su ognuno di essi nutriamo fortissime riserve. Utilizziamo sempre di più lo smartphone ma contemporaneamente critichiamo le forme di alienazione, solitudine, dipendenza che provoca. Non c'è genitore che non sia preoccupato (e a ragione) del fatto che i figli usino troppo social e videogiochi ma pochissimi sono in grado di vietarli. Consideriamo la dipendenza dei nostri figli dalla tecnologia inevitabile. Descriviamo dunque la nostra impotenza rispetto alla tecnologia nello stesso esatto modo in cui la rappresentano i governi. Esiste e dunque si usa. Sentiamo che il progresso ci allontana dalla nostra "umanità" o perlomeno da quella che abbiamo sempre considerato tale. Siamo condannati a usare i mezzi della tecnologia, ma vagheggiamo il ritorno a uno stato primordiale, naturale.

La società agricola gode di una reputazione assai

migliore di quella industriale e digitale. Basta guardare la pubblicità per comprendere come lo "stato di natura" sia idealizzato e considerato rassicurante. Eppure nessun indicatore sociale, culturale, economico, medico ecc. avvalora questa percezione. Quando la paura si diffonde la razionalità cede il passo all'emotività: si stava meglio quando si stava peggio. Cosa è successo? Perché sentiamo sempre meno la scienza come nostra alleata nella conquista del "destino manifesto" della razza umana? I sintomi di un diffuso rifiuto della modernità che arriva a mettere in discussione anche quanto di più benefico per l'uomo il progresso ha fatto, ovvero la medicina, ci sono tutti. Basti pensare alla crescita dei movimenti contro le vaccinazioni. Certo sono posizioni estreme che riguardano una piccola – anche se in crescita – parte delle nostre società, ma rappresentano il riflesso di una paura profonda e molto più diffusa ispirata da domande inquietanti: l'uomo continuerà ad agire attraverso la tecnica o sarà "agito" dalla tecnica? Il progresso è ancora al servizio dell'uomo o è manipolato da capitalisti senza scrupoli? La "singolarità", ovvero il momento in cui l'intelligenza artificiale diventerà una realtà, non sembra più essere oltre l'orizzonte del nostro pensiero e forse neanche della nostra vita. Cosa accadrà allora? "Le stesse tecnologie che possono migliorare gli uomini fino a dare loro poteri divini potrebbero ridurre gli stessi uomini all'irrilevanza."[5] Sembra che il progresso scientifico e tecnologico sia destinato ad avere lo stesso fato della globalizzazione: essere percepito dai cittadini come un processo che non ha più il fine di servirli ma quello di sottometterli. A differenza della Globalizzazione, tuttavia, gli effetti negativi del progresso scientifico e tecnologico non possono essere addebitati a un "altro" e non possono essere fermati perché "nessuno sa dove siano i freni"[6].

Ma soprattutto il progresso non è solo il fondamento della Globalizzazione ma dell'intero sviluppo umano dalla Rivoluzione scientifica (1500) in poi. Metterlo in discussione è ben diverso dal chiedere il ritorno dei confini o del protezionismo, vuol dire dubitare dell'intera impalcatura della modernità. L'umanesimo liberale, fondamento della cultura occidentale contemporanea, poggia su tre pilastri: 1) il riconoscimento di diritti, che hanno come principale obiettivo assicurare all'uomo la libertà; 2) l'economia di mercato, espressione di quella libertà sotto il profilo dell'attività economica; 3) il progresso scientifico e tecnologico, che assicura uno scopo all'uomo, e allo stesso tempo permette al capitalismo di funzionare perché dà un fondamento razionale alla fiducia nel benessere crescente e illimitato che ne è il presupposto. È dunque l'intera costruzione dell'umanesimo liberale a essere in crisi e non uno solo dei suoi pilastri? Io credo di sì.

Tecnica e politica

Il mondo è oggi diviso tra tecno-ottimisti (la maggioranza delle classi dirigenti e la minoranza dei cittadini) e tecnopessimisti (rapporto inverso al precedente). Ed è già un passo avanti, perché solo pochi anni fa chiunque avesse osato mettere in discussione nel dibattito pubblico i possibili rischi connessi all'innovazione tecnologica sarebbe stato bollato come uno stravagante luddista. Resta però il fatto che il dibattito sugli effetti dell'innovazione tecnologica ricalca pericolosamente quello di dieci anni fa sulla globalizzazione. Il rischio è la riproposizione di uno scontro di opposti approcci ideologici che alimentano paure e non contribuiscono a inquadrare i problemi. C'è chi ipotizza la rapida fine non solo del lavoro manuale ma anche di quello concettuale provocata dall'avvento dell'intelligenza artificiale, e chi invece sostiene che – come sempre accaduto nelle precedenti rivoluzioni tecnologiche – i lavori persi troveranno compensazione in nuove e più stimolanti occupazioni. Chi porta avanti l'idea che la tecnologia supporta già oggi la diffusione di sistemi più compiutamente democratici, e chi vede nei pericoli delle *fake news*, nella manipolazione dei dati e nelle sirene della democrazia diretta il rischio di una democrazia pilotata e infetta, come il caso Facebook/Cambridge Analytica sembrerebbe dimostrare. E così per la medicina, dove grazie alla genomica ci aspettano progressi spettacolari fino forse, come pronostica Elon Musk, alla scoperta di una cura per ogni malattia entro il 2100, senza però che sia necessariamente garantito l'accesso a queste cure ai cittadini meno abbienti.[7]

Il dibattito pubblico rischia di oscillare tra un'entusiastica e acritica accettazione di qualunque cosa sia nuova o *disruptive*, alla descrizione di un futuro apocalittico dominato da un algoritmo universale magari più giusto, perché privo di preconcetti, ma intrinsecamente conservatore, perché incapace di comprendere la varietà dell'essere umano.

Il rapporto tra uomo e tecnica rimarrà al centro delle nostre riflessioni, anche filosofiche, per molti anni a venire. Il filosofo Emanuele Severino, che lo ha indagato in profondità, vede la globalizzazione tecnica destinata a sostituire la globalizzazione economica. Severino sostiene che: "La destinazione della tecnica al dominio è la destinazione al 'tramonto' del capitalismo, della morale e dell'umanesimo cristiano o 'laico', della politica e di tutte le forze che intendono oggi servirsi della tecnica".[8] La tecnica in forza del suo scopo, l'aumento indefinito della potenza, ontologicamente superiore a quello della ricerca del profitto, retrocederà il capitalismo a puro mezzo del suo operare. L'indebolimento del principio di concorrenza potrebbe essere un segnale che va in questa direzione. Se la concorrenza, elemento essenziale dell'economia di mercato, si pone sulla strada della tecnica, è quest'ultima a prevalere. La crescita dei monopoli digitali ne è una inconfutabile prova. Ma, come riconosce lo stesso Severino, "anche della destinazione della tecnica al dominio del mondo, va detto che è una tendenza dalla quale, pertanto, il futuro non è predeterminato e quindi distrutto".[9]

La riflessione culturale, etica e filosofica sul rapporto tra uomo e tecnica deve però andare in parallelo con il compito della politica che è governare l'oggi e preparare il domani e non agire sulla base di costruzioni utopistiche, o viceversa apocalittiche, di un futuro lontanissimo e inconoscibile. E soprattutto non dobbiamo ripetere gli errori commessi con la Globalizzazione agendo in funzione di un disegno di futuro preconfezionato e tollerando per questo ingiustizie e patologie. Se mi convinco che tutto il lavoro manuale scomparirà e decido che per questo non vale la pena difenderlo, accelero un processo di per sé già traumatico. La stessa cosa che è accaduta, come abbiamo visto, con l'industria e la globalizzazione. Le profezie si autoavverano se le politiche pubbliche vi si conformano acriticamente e se persino le regole del mercato vengono stravolte per favorirle. Ricordate il caso Alcoa e le catene globali del valore? Dobbiamo evitare di commettere gli stessi errori.

Proteggere, investire e regolare

Durante il mandato al governo mi sono occupato della crisi dei call center. Pressato dall'innovazione tecnologica che favorisce altri canali di comunicazione e dalla delocalizzazione verso paesi europei e non europei, questo settore stava scomparendo in Italia a una velocità allarmante, mettendo a rischio il lavoro di 80.000 persone. Ad accelerare la crisi contribuivano le richieste sempre più pressanti di taglio di costi da parte delle grandi società committenti. È del tutto evidente che con il tempo le macchine potranno svolgere una gran parte del lavoro che oggi fanno gli operatori call center, ma il tempo in cui questa transizione si compie non è ininfluente. Per questo, nonostante le critiche dei soliti liberisti ideologici sul fatto che difendere il lavoro nei call center sarebbe stata una battaglia di retroguardia, ho chiesto alle società committenti di firmare un accordo di autoregolamentazione per evitare ulteriori delocalizzazioni e vigilare che i contratti stipulati con le società non rendessero insostenibile il livello retributivo previsto dai contratti nazionali. Il protocollo ha avuto un effetto positivo, tanto da spingere alcune società di telefonia a riportare in Italia il lavoro. A dimostrazione che la politica può fare molto, anche sulle scelte "di mercato" delle grandi aziende.

Ciò detto, le transizioni e le trasformazioni non possono essere giocate solo in difesa. Ed è ovvio che gli investimenti sono la chiave per affrontarle. Per questo con il piano Impresa 4.0 abbiamo messo sul piatto più di 30 miliardi di euro di incentivi fiscali legati all'innovazione tecnologica, alla formazione e alle competenze con risultati molto positivi in termini di crescita degli investimenti. Trovare il punto di equilibrio tra protezione e investimenti è fondamentale per evitare l'allargamento di fratture sociali ed economiche. Quando in una società esportazioni e povertà raggiungono contemporaneamente il record storico, ed è questo il caso dell'Italia, è evidente che si impongono strategie diversificate per vincenti e perdenti. Strategie che sono solo apparentemente contraddittorie, mentre invece risultano del tutto complementari e indispensabili. Gli approcci unitari al cambiamento, in un senso o nell'altro, hanno già dimostrato di essere dannosi nel caso della globalizzazione. Bisogna guadagnare tempo per gestire le transizioni economiche e produttive, così come non bisogna tollerare storture collegate alla diffusione della tecnologia e ai nuovi modelli economici che ne derivano. New economy, Gig economy, Sharing economy non sono porti franchi. L'idea che chi è innovativo sia esentato da doveri, rispetto delle regole e responsabilità è da respingere con fermezza. Purtroppo oggi non è così: a partire dai monopoli ignorati – anche per contrastare quelli cinesi – e dalla "furbizia fiscale" tollerata di Amazon, Google, Facebook e tanti altri giganti digitali; per passare alla regolamentazione dell'accesso ai dati, il controllo sulle *fake news*, le criptovalute. Va in ogni modo rigettata l'idea che i grandi innovatori debbano godere di una forma di immunità dalle regole che potrebbe frenarne lo spirito creativo. Per molti anni questa è stata indubbiamente la narrazione diffusa e accettata. Per capire quanto vergognosa sia la situazione nel 2017 Apple, Google, Facebook, Amazon, Airbnb, Uber e Tripadvisor hanno pagato cumulativamente 14 milioni di euro di tasse al fisco italiano! Non c'è nulla di normale, accettabile o "di mercato" in questo o nel fatto che la quotazione in Borsa di Amazon sconti sostanzialmente la sua futura posizione dominante nel mercato delle vendite on line, sul quale peraltro era in costante perdita fino a poco tempo fa. Si tratta di un meccanismo che consente una forma di *predatory pricing* (una sorta di vendita sottoprezzo per conquistare fette di mercato) a cui si aggiunge un livello di tassazione risibile, che rende ogni competizione on line, e presto off line, insostenibile. Mi è capitato di parlarne spesso con un ex top manager di Amazon – una persona di grande capacità e spirito di servizio che è venuta in Italia per aiutare la digitalizzazione della PA – che continuava però a ripetere che questa anomalia rende Amazon una fucina infinita di innovazione e talento. Ma il monopolio dei talenti non giova al mercato tanto quanto il monopolio di un settore di business; tanto più se quei talenti vengono e verranno utilizzati per entrare in ogni ambito economico accompagnati a una forza finanziaria che aumenta all'aumentare dell'espansione attesa. Ecco un caso molto concreto che avvalora la tesi di Severino: la ricerca di potenza della tecnica sottomette le leggi del mercato.

Come scrive Stefano Quintarelli nel suo manifesto *Intermediati digitali unitevi*: "Chi conquista la 'world dominance' in un settore difficilmente potrà essere scalzato. Provate a dire ai vostri figli di abbandonare Whatsapp per passare a Indoona. Non lo faranno mai. Su Whatsapp possono interagire con tutti i loro amici; mandarli su Indoona sarebbe come condannarli a un'isola quasi deserta. Lo stesso vale per i venditori rispetto ad Amazon, gli albergatori rispetto a Booking, i ristoratori rispetto a Thefork, gli affittuari rispetto ad Airbnb, gli autisti rispetto a Uber. Quando un operatore sta per vincere in un settore, gli investitori gli riverseranno quantità di capitali immani in modo tale da farlo diventare la scelta obbligata di fatto per quel settore. La competizione cessa di essere nel mercato ma diventa per il mercato. Non si compete nel mercato dell'intermediazione delle case vacanza, ma per conquistare una posizione di leadership assoluta, inscalfibile, in una nicchia di mercato". E ancora: "Quanti sanno che se una persona scarica un software e lo installa su un Macintosh, il relativo pagamento va al produttore del software mentre se lo fa su un iPad o un iphone il 30% va alla Apple? Lo stesso dicasi per un giornale, una canzone, un libro su Apple, Android, Amazon. O che il 25% del prezzo della camera d'hotel (iva inclusa) va a Booking? – praticamente il 100% del margine dell'albergatore, che deve però pagare i costi vivi, le manutenzioni e il personale. Quanti conoscono le condizioni di lavoro di un autista di Uber (che fissa il prezzo delle corse) o di Foodora? Non intendo sostenere che queste non siano opportunità per lavori occasionali che possono costituire un reddito integrativo per qualcuno in una fase della vita. Ma se cessano di essere occasionali e diventano continuativi, sottoposti a un controllo algoritmico dell'operato assai più stretto di quello possibile in un tradizionale rapporto di lavoro, anche in questo caso si pone una questione di asimmetrie regolamentari che favoriscono una tipologia di attività rispetto a un'altra, inclinando il piano competitivo verso intermediari monopolisti/oligopolisti immateriali".

Da molto tempo Silicon Valley ha perso la reputazione avventurosa degli inizi. Oggi è chiaro che l'anarchia invocata da questi grandi gruppi non ha niente a che fare con la ribellione verso il sistema della fine degli anni sessanta, ma è molto più simile all'impunità concessa ai *robber barons* della finanza, delle ferrovie e dell'acciaio alla fine del diciannovesimo secolo. Compito prioritario della politica è contrastare queste anomalie e far rispettare le regole, a partire da quelle antitrust, piuttosto che cercare in ogni modo di essere fotografati con ceo diventati star o guru globali. Anche in questo caso la subalternità culturale delle classi dirigenti, in particolari quelle liberal, alla mitologia della Silicon Valley è una delle cause della loro perdita di credibilità. Ci sono anche ragioni ben più prosaiche per l'influenza dei monopoli digitali: secondo il Center for Responsive Politics, Google/Alphabet nel 2014 ha elargito donazioni politiche a 162 membri del Congresso americano.[10] Compito di un uomo di governo è certamente attrarre investimenti innovativi ma non a scapito delle regole. Aggiungo, per esperienza diretta, che molto spesso questi investimenti sono specchietti per le allodole, privi di contenuti reali, costruiti apposta per dare al politico di turno l'opportunità di una conferenza stampa, guadagnando in cambio un "diritto di scorreria" nel paese in questione.

La definizione del crinale che passa tra strumenti tecnologici che aiutano il lavoratore e quelli che lo mortificano è un altro dei compiti delicati e difficili che spettano alla politica. Molte innovazioni aiutano il lavoratore a liberarsi dalla fatica e agire in sicurezza. Ma non tutte. E comunque ogni caso va anche valutato sotto il profilo degli impatti sulla dignità del lavoratore. L'episodio del cosiddetto "bracciale di Amazon" (brevettato ma non ancora utilizzato) è in questo senso significativo. A differenza di analoghi strumenti che prevedono la trasmissione di informazioni lette ed elaborate dall'utente lavoratore, il bracciale di Amazon agisce anche attraverso vibrazioni trasmesse al corpo del lavoratore. La differenza può apparire tanto sottile da essere irrilevante, ma non lo è affatto. L'uomo non può essere guidato attraverso impulsi e la reazione dei tecnoentusiasti (una variazione sul tema dei liberisti ideologici) alla mia presa di posizione intransigente sull'utilizzo in Italia di questo strumento dimostra come stiamo nuovamente correndo il rischio di commettere gli stessi errori in cui siamo incorsi nella prima fase della Globalizzazione. Tutto quello che è innovativo non è di per sé giusto. Il principio per giudicare un'innovazione tecnologica deve essere invece diverso: deve servire l'uomo nel suo sviluppo economico, sociale e culturale, e non mortificarlo.

Sia ben chiaro, moltissime tecnologie offriranno non solo grandi possibilità per migliorare la condizione della vita umana ma anche per facilitare e diffondere l'imprenditorialità. Impresa 4.0 e le tecnologie come blockchain daranno modo anche alla PMI di trovare una loro strada sui mercati internazionali. Non c'è dubbio che nel futuro prossimo sempre di più "le persone dovranno inevitabilmente prendere il controllo del loro destino creandosi il lavoro".[11] Una società di startupper, lavoratori sempre più autonomi e creativi, ha molti elementi di fascino. "L'ascesa della classe creativa"[12] è un percorso in parte già in atto e per molti versi positivo, ma potrebbe contribuire alla polarizzazione tra vincenti e perdenti a meno che lo Stato non sia in grado davvero, e per la prima volta, di fornire ai cittadini gli strumenti per comprendere i cambiamenti e per trovare la loro strada dentro i cambiamenti. Senza dimenticarsi la lezione chiave della prima fase della globalizzazione: "Esporsi crea non solo opportunità ma anche concorrenza, e può indebolire, e infine farci perdere la nostra posizione nel mondo".[13] Vale tanto per la Cina quanto per i robot.

Gli orizzonti vicini

La verità è che non possiamo sapere come sarà il nostro futuro lontano. Una cosa però possiamo dire con certezza: se scomparirà il lavoro, con esso scomparirà anche il capitalismo, a meno che gli ex lavoratori non rimangano consumatori (disoccupati) in virtù di un sussidio finanziato dagli utili delle società produttrici di beni. In questo caso i frutti del capitale dovranno essere in qualche modo socializzati (fiscalmente o tramite partecipazione dei lavoratori agli utili delle imprese) e Marx, alla fine, l'avrà avuta vinta sia pure attraverso un percorso diverso rispetto a quello immaginato. In questo contesto il ragionamento che si va diffondendo sull'*Universal basic income*, ovvero un reddito minimo garantito a tutti indipendentemente dal lavoro (simile al reddito di cittadinanza proposto in Italia dal M5S), appare una inaccettabile scorciatoia che socializza i costi dei profitti dei supermonopoli tecnologici (che infatti lo propongono) e mortifica i cittadini, che si realizzano attraverso il lavoro e non con il solo reddito. Il passaggio da repubbliche fondate sul lavoro a repubbliche fondate su un reddito (artificiale) rappresenterebbe la fine della democrazia. La maggior parte dei cittadini diventerebbe dipendente dello Stato di cui dovrebbe eleggere i rappresentanti. Il rischio che la dipendenza economica, per di più in una società di "intermediati" da pochi monopoli, diventi limitazione di fatto della libertà politica sarebbe enorme.

Lasciamo ora da parte il futuro che è oltre il nostro orizzonte e concentriamoci sui prossimi vent'anni. La sfida appare già sufficientemente difficile. Si giocherà nel decennio 2020-2030 sulla questione del lavoro. In questa decade le forze del mercato, della demografia e dell'innovazione porteranno a una drammatica collisione, a meno di non correggerne e governarne la traiettoria. Vediamo uno scenario possibile per i paesi occidentali[14]:

• L'invecchiamento della popolazione porterà, nelle economie sviluppate, il tasso di dipendenza tra persone in età lavorativa e in età pensionistica più vicino al rapporto di 1 a 1. Ciò avrà due conseguenze rilevanti: l'insostenibilità dei sistemi pensionistici e la diminuzione strutturale del tasso di crescita delle eco-

95

nomie. Negli ultimi sessantacinque anni, infatti, un terzo della crescita è derivata dall'aumento della forza lavoro.

• L'effetto potenzialmente positivo su stipendi e occupazione derivante dalla riduzione di forza lavoro (meno persone dunque più domanda e meno offerta) sarà controbilanciata e allo stesso tempo incentiverà l'automazione. A un aumento della produttività derivante dall'automazione vicino al 30% entro il 2030, corrisponderà una diminuzione di posti di lavoro tra il 20 e il 25%. La diminuzione dei posti di lavoro non si distribuirà in modo omogeneo nei diversi settori. Le nuove professioni che si svilupperanno non saranno in grado di coprire i posti di lavoro perduti con una velocità sufficiente a rendere l'effetto "digeribile" dalle nostre società. Non sappiamo se il saldo finale sarà positivo o negativo ma sappiamo che ci sarà un problema di sfasamento temporale e formativo di per sé già drammatico. Secondo alcune analisi l'85% dei posti di lavoro che esisteranno nel 2030 non sono ancora stati inventati. Leggere questo dato solo come una sfida entusiasmante rispecchia una prospettiva superficiale. Trascura di considerare la difficoltà, nell'incertezza, di prepararsi per questo processo trasformativo e di valutarne gli esiti per i lavoratori.

• Questo fenomeno contribuirà ad aumentare le diseguaglianze. Dalla metà degli anni ottanta le diseguaglianze sono cresciute in tutto il mondo fino ad arrivare oggi al massimo storico. In alcuni casi, Stati Uniti in primis, persino incidendo sulla aspettativa di vita. Negli ultimi venticinque anni l'aspettativa di vita per un venticinquenne americano non laureato è diminuita di un anno mentre per un laureato è aumentata di cinque. L'automazione favorirà l'aumento delle diseguaglianze tra le diverse categorie di lavoratori e nel rapporto tra salari e profitti accentuando quanto già accaduto.

• Questo processo porterà a una contrazione della domanda che avrà alla fine un effetto sulla crescita e anche sui profitti.

La trasformazione della società e dell'economia, che è già iniziata, accelererà a una velocità mai sperimentata prima. A quel punto le nostre democrazie, già colpite da una gestione superficiale della Globalizzazione, non potranno sopravvivere a un secondo shock di scala superiore. Lo scenario che ho descritto richiede dunque correttivi fortissimi e un controbilanciamento della traiettoria disegnata dalle forze del mercato e dell'innovazione. Ciò richiederà un impegno diretto e dalle proporzioni inedite da parte dello Stato. Altrimenti alla fine degli anni trenta di questo secolo la destabilizzazione definitiva delle democrazie liberali sarà inevitabile.

È possibile conciliare uomo e tecnica?

Accanto alla paura per un futuro *disruptive,* i cittadini, come nel caso della globalizzazione, sentono di essere nuovamente davanti a un processo non governato. Non è solo l'essenza del cambiamento a spaventare, ma la loro velocità e il fatto che nessuno, tranne i movimenti populisti e sovranisti che promettono una impossibile protezione passiva (muri, dazi, chiusure), sembra in grado di gestirli a livello locale e globale. Non si tratta di una percezione ma di una realtà. Anche perché la potenza di una nazione è sempre stata espressione del suo livello tecnologico. In un mondo multipolare e tendenzialmente più conflittuale, nessuna potenza ha interesse a sottostare a regole o limiti.

Quando, nel 2017, ho presieduto il G7 sull'innovazione è stato difficilissimo inserire nella dichiarazione finale anche un vago richiamo alla necessità di governare il progresso tecnologico. Allo stesso modo, nonostante le molte insistenze, un documento giapponese sui limiti etici da imporre allo sviluppo dell'intelligenza artificiale è stato espunto dalle conclusioni. Anthony Giddens, membro della Commissione speciale sull'intelligenza artificiale della camera dei Lord del Regno Unito, ha recentemente sostenuto la necessità di definire a livello internazionale una "Magna Charta per l'era digitale" che definisca prescrizioni per lo sviluppo e l'uso dell'AI, a cui si aggiunge la richiesta di un intervento definitivo per sradicare il monopolio dei dati delle grandi corporation. Quella indicata da Giddens è una strada che va esplorata.

La questione centrale è dunque ancora una volta la capacità dello Stato di gestire e non subire le trasformazioni. Se questo avverrà, il progresso tecnologico non cancellerà necessariamente il fattore umano. Al contrario, in questa prospettiva interpretare l'innovazione tecnologica con spirito umanistico sarà la chiave di volta per riconciliare uomo e tecnica. Sono profondamente convinto che l'accelerazione del progresso scientifico e tecnologico renderà la tecnica e la tecnologia sempre più una *commodity*, un fattore della produzione che potrà essere acquistato facilmente. Quello che distinguerà un prodotto o un servizio sarà la capacità dell'uomo di renderlo unico, umano, bello. La creatività diventerà, con il progredire della tecnica, l'elemento in più. Attenzione: questo non vuol dire che possiamo semplicemente affidarci alle normali dinamiche di mercato per diventare tutti più creativi. Il lavoro da fare per combattere l'analfabetismo funzionale che dilaga nelle nostre società e per ricongiungere sapere tecnico e sapere umanistico sarà lungo e complesso. Ed è proprio questo il punto che è stato completamente assente negli ultimi trent'anni: la cura verso un accrescimento culturale dei cittadini. Abbiamo investito nel potenziamento della tecnica molto più di quanto abbiamo investito nel potenziamento dell'uomo, pensando che le due cose coincidessero. Non è così. Il rapporto tra uomo e progresso tecnologico è cambiato radicalmente: alla crescita dell'uno corrisponde una marginalizzazione e alienazione dell'altro. Ed è per questo che l'umanesimo liberale è in crisi anche per quanto riguarda il suo primo pilastro, quello dei diritti e della democrazia: si è disinteressato dell'uomo nella sua dimensione culturale e sociale (intesa come collaborazione e non antagonismo). Parallelamente abbiamo coltivato aspettative irrealizzabili trasformando di fatto il diritto alla ricerca della felicità nel diritto alla felicità, e la felicità in un traguardo in continuo movimento. Un diritto che "dipendendo dalle aspettative piuttosto che dalle condizioni (materiali) oggettive"[15] porta a una continua frustrazione, perché le aspettative aumentano sempre più delle conquiste materiali.

L'umanesimo disumanizzato è dunque la malattia. Cultura, competenze e comunità sono la cura. Dall'esito di questo processo dipenderà anche il permanere del "predominio dell'Occidente sulla modernità"[16] o la sua sconfitta come modello culturale, politico ed economico.

Limiti, degenerazioni e rischi del progresso scientifico e tecnologico non possono però farci trascurare un fatto fondamentale: la sfida ambientale e alimentare, e dunque la possibilità della sopravvivenza della razza umana nel lungo periodo, dipende largamente dalla tecnologia. E, come vedremo nel prossimo capitolo, proprio la prospettiva della sostenibilità intesa in senso lato può contribuire a riportare nelle mani dell'uomo le redini del progresso.

2.

Un mondo insostenibile

Boom demografico e migrazioni

Già nel 1972, nel rapporto del Club di Roma, *The Limits to Growth*, esperti del Mit indicavano che dati i tassi di crescita della popolazione, della produzione industriale, dell'inquinamento e dello sfruttamento delle risorse, avremmo assistito, intorno alla metà di questo secolo, a un collasso delle condizioni economiche, sociali e ambientali del pianeta. Nonostante i cambiamenti tecnologici e la maggior attenzione all'ambiente il mondo non ha ancora abbandonato quella traiettoria. Siamo oggi 7,5 miliardi di persone, arriveremo a 9,8 miliardi nel 2050 e a 11 nel 2100. Mentre la dinamica delle nascite sembra stabilizzarsi anche in Asia, l'Africa rimane un continente demograficamente fuori controllo, con una popolazione che raddoppierà nel 2050, arrivando a 2,5 miliardi (il 26% della popolazione mondiale). A ciò si aggiunge una popolazione che si va rapidamente urbanizzando in tutto il mondo. Nel 2050 la percentuale di persone che vivrà in città potrebbe sfiorare il 75%. Questo provocherà non solo enormi problemi logistici e sanitari, di sicurezza, ma anche culturali. Lo sradicamento e il venir meno di reti tradizionali di protezione caratteristiche dei piccoli centri e delle comunità agricole, renderà la capacità di integrare gli immigrati l'elemento fondamentale di stabilità delle società. Parallelamente, gli effetti del cambiamento climatico iniziano a farsi sempre più evidenti. Dei 17 anni più caldi mai registrati, 16 sono successivi al 2001. Più di 300 milioni di persone sono esposte ogni anno a eventi climatici estremi. L'aumento della temperatura – 1,2 gradi dall'avvento della Rivoluzione industriale – sembra inarrestabile e l'obiettivo del contenimento entro i 2 gradi difficilmente raggiungibile. Il clima, e più in generale la sostenibilità, sono diventati uno dei più rilevanti fattori geopolitici nello scenario internazionale. Impattano sulle dispute sui corsi d'acqua, le così dette "guerre per l'acqua" che si profilano all'orizzonte in Africa e in Asia, e sull'accaparramento della terra (*land grabbing*) in Africa (oggi una superficie grande quasi quanto l'Europa è posseduta da investitori esteri). La spinta alla migrazione che arriverà anche dai cambiamenti climatici, come la desertificazione e l'aumento di eventi estremi, ha già fatto di questa emergenza la cartina di tornasole della capacità di tenuta e risposta delle democrazie liberali. Il paradosso è che l'Africa "responsabile solo per una percentuale tra il 2% e il 4% delle emissioni annuali di gas serra sarà una delle aree che ne pagherà il prezzo più grande, dato che la temperatura, proprio in quella zona del mondo, potrebbe aumentare significativamente più della media globale".[1]

Le migrazioni sono state il detonatore della crisi delle liberaldemocrazie in tutto l'Occidente. Se la globalizzazione ha messo in crisi l'idea della società aperta dal punto di vista economico, l'aumento dei flussi migratori l'ha definitivamente affondata sul piano politico e culturale. Le due cose sono però strettamente collegate. Una società prospera, dove il benessere è diffuso e le reti di protezione garantiscono ai cittadini servizi adeguati, è disposta ad accogliere, una società dove aumentano le diseguaglianze e diminuiscono i servizi no. Non a caso la narrazione dei sovranisti in tutto il mondo identifica un nemico unico in globalizzazione, multiculturalismo, immigrazione, diversità, diritti. Il "globalismo" è il nemico da abbattere e l'immigrato ne è la personificazione. Anche qui, come per la globalizzazione economica, i progressisti hanno reso la vita più facile alla destra populista. Il racconto semplificato di una società multiculturale come se fosse una serata in un ristorante *fusion*, anziché un fenomeno complicatissimo da governare, ha generato un profondo malcontento, in particolare nelle classi svantaggiate che con i migranti si sono trovate a convivere, e spesso a combattere, per accedere a scuola, sanità, lavoro e casa. Davanti alle immani difficoltà che pone l'integrazione, in particolare in società demograficamente vecchie e perciò meno propense al cambiamento, descrivere chi ha paura come un razzista ha l'effetto di radicalizzare l'opinione pubblica nel rifiuto dei migranti. Non si può affrontare questo tema su un piano esclusivamente "morale": l'idea che nelle nostre società esistano centinaia di milioni di razzisti è semplicemente assurda e controproducente perché rafforza la rappresentazione "élite contro popolo" di cui si nutre la destra populista. E non possiamo permettercelo. Dei migranti e di una politica migratoria avremo bisogno per i decenni a venire. Uscire dall'emergenza, comprendere le paure, investire risorse e professionalità è indispensabile e urgente.

Dei numeri sui migranti i cittadini europei hanno una percezione completamente errata. Secondo un sondaggio di Eurobarometro, gli italiani, ad esempio, ritengono che la percentuale di stranieri presenti nel paese sia pari a un quarto della popolazione complessiva. Circa tre volte e mezzo il loro numero reale. Un'invasione dunque, che giustifica linguaggi e parole di guerra. Anche perché migranti e insicurezza sono diventati un tutt'uno indistinguibile. Su di essi non si scarica solo il rifiuto di una "società aperta", "associata alla tremenda esperienza di popolazioni eteronome, vulnerabili, sopraffatte da forze che non controllano"[2], ma soprattutto l'insicurezza come fattore dominante del nostro tempo. Viviamo nelle società più sicure di sempre ma il senso di insicurezza non è mai stato così diffuso. Ogni anno in Italia diminuiscono i reati e aumenta l'insicurezza. Per comprendere il perché dobbiamo tornare al rapporto tra aspettative e risultati, che è diventato una delle malattie della modernità. Proprio come nel caso del conseguimento di benefici economici o materiali, il livello di sicurezza percepita è legato alle aspettative molto più che al rischio reale. L'aspettativa non è quella della sicurezza, per molti versi appagata, ma della liberazione da ogni paura e della garanzia di incolumità da ogni evento. "La nostra ossessione per la sicurezza e la nostra intolleranza per qualsiasi piccola – anche minima – smagliatura nell'offerta di sicurezza attesa diventano le fonti più prolifiche della nostra ansia e paura."[3]

Proteggere i confini e governare le migrazioni – il caso italiano ed europeo

La questione delle migrazioni è un fenomeno strutturale di dimensioni senza precedenti (e in crescita per almeno i prossimi trent'anni), di fronte al quale le società occidentali saranno sempre più esposte: Europa e Italia in primo luogo. Osservandolo freddamente, questo processo non è per definizione contrario al nostro interesse. Il declino demografico porta già oggi a un "differenziale in Europa tra il numero di persone che escono dal mercato del lavoro per andare in pensione e i giovani che vi entrano di circa 3 milioni l'anno".[4] La popolazione europea con più di sessant'anni arriverà al 35% entro il 2050 mettendo a dura prova la sostenibilità dei sistemi di welfare. Già oggi in Italia "gli immigrati versano ogni anno 8 miliardi di contributi sociali e ne ricevono 3 in termini di pensioni e prestazioni sociali".[5] E tuttavia l'idea di risolvere questo problema aprendo indiscriminatamente i nostri confini e sperando in una rapida integrazione è irrealistica e pericolosa. La sola Nigeria, da cui proviene il maggior numero di migranti che approdano in Italia, diventerà il terzo paese più popoloso del mondo entro il 2050. Un andamento degli arrivi di stranieri a un ritmo analogo a quello degli ultimi anni porterebbe la popolazione straniera residente in Italia, nel 2065, a un terzo di quella totale.[6] Un cambiamento profondo e per molti versi scioccante che incide sull'identità del paese, sulle sue tradizioni e sui suoi vincoli di comunità. Analogamente a quanto detto rispetto a innovazione tecnologica e globalizzazione, dobbiamo affrontare l'immigrazione con una strategia di attacco e difesa, di protezione e investimenti per lo sviluppo e l'integrazione.

In primo luogo dobbiamo mantenere il controllo sui nostri confini. Una nazione non può sopravvivere se i cittadini ritengono i propri confini insicuri o permeabili. La messa in sicurezza dei confini, in particolare quando sono marittimi (in mare non si possono costruire muri), implica un lavoro nei paesi di origine e di transito dei migranti, fornendo mezzi per il controllo delle frontiere, per l'identificazione e anche per i respingimenti e i rimpatri. Per convincere i paesi di transito a sobbarcarsi questo compito, occorre mettere sul piatto risorse cospicue e una collaborazione tecnica rafforzata. Va ripreso e implementato per intero il Migration Compact proposto dall'Italia nel 2016 e solo parzialmente recepito dall'Ue, che si fonda su un "contratto" con i paesi di origine e di transito. Il documento italiano individuava un gruppo di diciassette paesi-chiave africani tra i quali si proponeva di selezionare sette casi-pilota per l'attuazione di un piano straordinario di cooperazione: Niger e Sudan (paesi di transito dei flussi), Costa d'Avorio, Nigeria, Ghana e Senegal (paesi di origine dei flussi) ed Etiopia (paese sia di origine sia di transito). Da un lato l'Ue avrebbe dovuto offrire risorse finanziarie per progetti di investimento, Eu-Africabond, cooperazione in materia di sicurezza, finanziamento dei costi di reinsediamento dei rimpatriati. Dall'altro i paesi africani si sarebbero dovuti impegnare a rafforzare il controllo delle frontiere, la cooperazione su rimpatri e riammissioni, la gestione dei flussi (accoglienza e pre-screening), sistemi nazionali di asilo in linea con gli standard internazionali. Tutto ciò avrebbe richiesto un riorientamento dei fondi Ue (e degli Stati membri) per la cooperazione, l'emissione di Eurobond e la previsione di un capitolo di entrate dedicate nel bilancio Ue. Fondamentale infine sarebbe stato portare sul campo Ong e istituzioni internazionali affinché garantissero condizioni di vita dignitose dei migranti nei paesi di transito.

Ma come mai il Migration Compact non è stato implementato tempestivamente e per intero? Il ragionamento alla base del Compact era il seguente: l'Ue ha interessi divergenti sulla gestione interna dei flussi migratori (vedasi il Trattato di Dublino e gli inconcludenti tentativi di riforma) e coincidenti su quella esterna. Eppure solo un terzo dei fondi europei della cooperazione va verso i paesi africani. Aggiungo che proprio nei mesi precedenti al lancio del Migration Compact la rotta greco-balcanica iniziava a chiudersi grazie a un accordo con la Turchia che poteva essere considerato un primo schema di Compact con paesi terzi. Tutte le condizioni di contesto erano dunque più che favorevoli. Dopo la proposta italiana, accolta molto positivamente dalla Commissione europea, è andato però in scena il solito teatro che paralizza ogni decisione, anche quelle apparentemente meno controverse, a livello europeo. La Germania, pur essendo d'accordo col piano italiano, ha considerato la proposta di Eurobond (limitati e circoscritti al finanziamento dei programmi di gestione dei flussi migratori) come una "delusione personale", per usare le parole del consigliere della cancelliera Merkel sulle materie europee. La mancanza di senso della realtà (e del limite) della Germania si è palesata nuovamente nel corso di una riunione ristretta tra leader dove la cancelliera ha affermato che i soldi per il *trust fund* Africa deliberati al Vertice di Valletta (che allora poteva contare su un *committment* di 1,8 miliardi per tutta l'Africa contro i 3 miliardi dell'accordo con la Turchia fatto a tempo di record su richiesta tedesca) erano già troppi! I paesi nordici d'altro canto, pur pesantemente provati dai fenomeni migratori, hanno contestato il legame tra cooperazione e finalità di contenimento dell'immigrazione e rivendicato la libertà di continuare a dare aiuti a paesi lontani (asiatici, sudamericani, ecc). La Francia, anch'essa d'accordo in linea di principio, ha però sostenuto tiepidamente il progetto in quanto presentato dall'Italia. Infine in Ue la vicepresidente Federica Mogherini, che avrebbe dovuto essere la sponsor naturale del dossier, ha cercato invece di farsi coinvolgere il meno possibile su una materia scivolosa e per di più su un progetto presentato dal suo paese! Alla fine qualcosa si è fatto, ma troppo poco e troppo lentamente. Nel periodo 2014-2020 il totale degli stanziamenti europei per tutta l'Africa arriva a 31 miliardi di euro in sette anni.

Se l'Unione Europea salterà, sarà in massima parte dovuto all'incapacità di gestire in modo coordinato i migranti. Venuto meno con l'Accordo di Dublino ogni principio di solidarietà; fortemente pregiudicato, con il ripristino dei controlli alle frontiere interne, il principio di libera circolazione delle persone, l'Ue non ha saputo neppure mettere insieme un piano credibile per gestire la dimensione esterna del fenomeno migratorio, sulla quale, come detto, gli interessi degli stati membri sono del tutto coincidenti.

Sempre in termini di protezione, occorre riconoscere che i paesi della sponda sud del Mediterraneo rappresentano di fatto la frontiera allargata dell'Europa. Questo vuol dire che la loro stabilità è un interesse prioritario dell'Ue. Ma da moltissimi anni manca (se mai c'è stata) una politica europea per il Mediterraneo. Va immediatamente rimessa in campo a tutti i livelli: politica commerciale, difesa, cooperazione, *institution building*, linee di finanziamento dedicate, allargamento dell'unione doganale, banca del Mediterraneo, infrastrutture energetiche e logistiche transfrontaliere. Dobbiamo aver presente che qualsiasi rilevante difficoltà politica o economica di uno Stato in quell'area implica l'apertura di vere e proprie autostrade per l'immigrazione illegale.

Infine, anche per proteggersi dall'immigrazione clandestina occorre ripristinare al più presto canali di immigrazione legale selettivi e controllati. L'esistenza di un'alternativa legale è uno straordinario deterrente e al contempo un incentivo per attrarre giovani preparati e nuclei famigliari (che hanno una capacità di integrazione superiore). Oggi solo il 3% dei migranti che arrivano in Italia ha una laurea, il 16% un diplo-

ma di scuola superiore, mentre il 10% è analfabeta.[7]
Si può decisamente fare meglio. "Aiutarli a casa loro" è una politica intelligente se non resta uno slogan vuoto. Presidiare i confini e aprire i mercati è uno dei passi fondamentali per accelerare la crescita africana e stabilizzare strutturalmente i flussi. Ma anche in questo caso l'ipocrisia abbonda. Nel 2016 per aiutare la Tunisia – unico paese ad aver raggiunto un assetto (molto) relativamente stabile dopo le Primavere arabe – l'Ue ha concesso unilateralmente una quota di importazione esente da dazi per il suo olio pari a 90 mila tonnellate su un consumo europeo di 1,5 milioni di tonnellate. Un quantitativo insignificante (per noi) che ha però scatenato violentissime reazioni in particolare da parte dei fautori del "aiutiamoli a casa loro", a dimostrazione di quanta mala fede si nasconda spesso dietro questa parola d'ordine. L'Africa subsahariana è comunque un'area in rapida crescita con tassi tra il 5 e il 6%. Entro il 2030 metà della popolazione vivrà nelle città ed entro il 2040 almeno sei paesi vedranno il proprio Pil procapite superare i 10 mila euro. Ma ciò non basterà a frenare l'aumento dell'emigrazione. A causa della crescita demografica il 50% dei giovani africani rimarrà comunque disoccupato. Va inoltre considerato che l'aumento del benessere produce in un primo momento un aumento dei flussi, a causa della maggiore disponibilità economica. Investimenti privati e commercio restano gli strumenti più potenti di qualsiasi forma di aiuto e cooperazione per creare benessere duraturo. L'Africa è anche una grandissima possibilità di espansione per l'economia europea e italiana. L'Italia è ben posizionata in questa regione avendo raggiunto il terzo posto tra i paesi investitori anche grazie al lavoro di accompagnamento fatto dai governi Renzi e Gentiloni. "Aiutarli a casa loro" è dunque

un buon affare per tutti – se si tengono i mercati aperti –, ma non può che essere una delle componenti di una strategia molto più ampia per gestire le migrazioni. Aiutarli e aiutarci a casa nostra è un altro investimento indispensabile. Attualmente in Europa vivono 35 milioni di extracomunitari regolari (7% della popolazione europea) e 10 milioni (stima) di extracomunitari irregolari (2% della popolazione), una percentuale quest'ultima troppo elevata. La distribuzione non è però omogenea. Si va dall'6,7% dell'Italia, all'8,5 della Francia fino all'11,6 della Svezia. Parliamo di extracomunitari, non di cittadini di stati membri della Ue. In Italia il totale di stranieri (extracomunitari e comunitari) è di circa 5 milioni, l'8% della popolazione. La prima domanda che dobbiamo porci è se siano tanti o pochi rispetto a tre fattori: l'andamento demografico, la struttura produttiva (ci rubano lavoro?) e la capacità di integrazione. Se guardiamo al primo fattore rilevante e compariamo gli arrivi con il declino demografico "autoctono" ci accorgiamo che flussi regolari di immigrati sono necessari a mantenere un equilibrio demografico altrimenti precario. Il dato che non torna è quello della crescita degli irregolari, dovuto alle guerre (Siria-Iraq), alle migrazioni economiche (via Libia), ma anche all'assenza di percorsi di migrazione legali. Alla seconda questione è più complesso rispondere. I dati confermano che in larga misura i migranti svolgono lavori che gli europei non vogliono più fare: agricoltura, allevamento, cura delle persone, edilizia. La risposta però non è così semplice. Una quota di migranti finisca per alimentare l'economia sommersa e dunque un fattore di concorrenza sleale rispetto ai lavoratori regolari. I 5/600 mila migranti irregolari che si presumono presenti sul territorio italiano sono impiegati in lavori irregolari che rappresentano un danno sociale, economico e di sicurezza. Un piano per regolarizzare chi ha una fonte di sostentamento legale (contribuendo a far emergere i lavori irregolari) ed espellere chi ne è privo potrebbe essere una soluzione saggia, ma solo se queste azioni fossero messe in atto contemporaneamente e con severità. Sull'ultimo punto, infine, possiamo dire con grande nettezza che le politiche di integrazione e di gestione dei migranti sono tuttora deficitarie. E anche il bilancio del nostro governo in quest'ambito è stato tutt'altro che positivo perché non siamo riusciti a uscire dalla fase dell'emergenza. In Italia l'articolazione delle strutture di accoglienza e integrazione, tutte improntate alla gestione dell'emergenza, è addirittura barocca. Già solo le sigle delle differenti tipologie di centri di accoglienza e integrazione (Cpsa, Cda, Sprar, Cas, Hotspot, Cie ecc.) rendono difficile orientarsi per un tecnico, figuriamoci per un cittadino o per un migrante. Per questo è necessario costruire un'agenzia unica per la gestione delle politiche di accoglienza e integrazione che controlli e verifichi tutta la filiera. È impensabile che un processo così delicato e difficile sia oggi di fatto appaltato al privato con scarsi controlli e poco coordinamento. E le cose non vanno meglio in termini di espulsione, rimpatri e ritorni. Totalmente inutile il meccanismo di espulsione basato su un invito a lasciare il territorio italiano. Mentre rimpatri e ritorni (volontari), pur significativamente aumentati, risultano comunque costosissimi e insufficienti.

I populisti arrivati al governo limitano la loro azione a una lotta inutile e sterile contro le Ong e alla presentazione della questione migratoria come un problema etnico; arrivando a teorizzare l'esistenza di un progetto di colonizzazione dell'Italia, fornendo in questo modo un alibi e una legittimità al razzismo che fino a ieri era sempre stato confinato ai margini della società. Il problema delle migrazioni sarà al centro delle politiche pubbliche nei decenni a venire. Occorre ridisegnare completamente l'assetto istituzionale, amministrativo e finanziario che presiede alla gestione esterna e interna dei flussi migratori. Non ci sono alternative. I muri possono rassicurare ma non tenere. Così come gli appelli fondati sulla morale e il buon cuore, o peggio gli stigmi di razzismo, non possono in alcun modo sostituire un approccio lungimirante e realistico a questo problema.

Il paradigma dello sviluppo sostenibile

Nonostante l'Accordo di Parigi e la rapida transizione cinese verso un sistema più sostenibile, rimane il problema di fondo: la classe media mondiale ammonterà, entro una ventina d'anni, a cinque miliardi di persone, che non vedranno l'ora di adottare gli stili di vita e di consumo occidentali. Una fortuna per turismo e consumi (e per le nostre esportazioni), ma un potenziale disastro per il pianeta, il cui patrimonio di risorse naturali verrà messo ulteriormente sotto stress. Il problema delle risorse energetiche, con la fine delle disponibilità di petrolio (per tanti anni pronosticata da molti), è un rischio ormai superato grazie alla tecnologia (capacità di estrazione e rinnovabili sempre più convenienti), ma quello della deforestazione e dello sfruttamento della fauna marina rimangono dolorosamente aperti (entro il 2050 il peso della plastica presente negli oceani supererà quello della fauna marina!). Ogni anno il Global Footprint Network calcola il giorno nel quale il consumo supera le risorse annualmente prodotte dal pianeta (*Earth Overshoot Day*): nel

2017 questa data è caduta il 2 agosto, a significare che consumiamo ogni anno più di un pianeta e mezzo. Questi e molti altri dati rimbalzano sui media mondiali molte volte al giorno, insieme alle loro conseguenze catastrofiche. Spesso (ma non sempre) si tratta di eventi geograficamente lontani da noi occidentali. Per noi il migrante è la faccia conosciuta del problema della sostenibilità, la catastrofe ambientale quella più nascosta al contatto diretto ma forse persino più presente e inquietante nel nostro immaginario. Il dato positivo è la consapevolezza profonda da parte della maggioranza della pubblica opinione mondiale dell'importanza dell'ambiente e della sostenibilità (che sono cose, come vedremo, in parte diverse). Ma questa consapevolezza ambientale diventa talvolta paura e si salda sempre più spesso con quelle tecnologiche ed economiche, determinando un profondo rifiuto della modernità. Dai vaccini ai gasdotti, dall'idealizzazione della società agricola rispetto a quella industriale alla paura della sofisticazione dei cibi, che sfocia nei nuovi integralismi alimentari, tutto ciò che è frutto della società moderna diventa negativo e pericoloso. Politica, media, intrattenimento seguono ovviamente il mercato della paura. Il risultato rende difficile implementare una strategia di sviluppo sostenibile seria.

Un esempio: il gas sarà l'energia di transizione che consentirà di accelerare l'uscita definitiva dal carbone e la diminuzione del consumo di petrolio, mentre le rinnovabili, grazie alla tecnologia, diventeranno sempre più economiche ed efficienti. La strategia energetica nazionale varata dal governo italiano nel 2017 si fonda su questo assunto, suggerito dai dati di scenario. Aumentando le rotte di approvvigionamento del gas, l'Italia è in grado di anticipare l'uscita dalla produzione elettrica a carbone al 2025. Un'operazione costosa ma gestibile, a patto di poter contare su più gas a un prezzo competitivo. Ma il gas non è di moda. Per quanto praticamente privo di emissioni inquinanti, non è il Sole, non è il vento ecc., e in quanto idrocarburo la sua reputazione è pessima quasi come quella del petrolio. Costruire un gasdotto di un metro di diametro diventa dunque uno "stupro del territorio", un "favore alle lobby dei petrolieri", un segno di arretratezza che mette a rischio la popolazione. Ecco allora arrivare il medico che sostiene come il gas sia cancerogeno anche se chiuso in un tubo otto metri sottoterra (ma non quello che usiamo per cucinare ovviamente), lo scrittore che invita i ragazzi al sabotaggio contro la prepotenza pubblica, e il governatore che paragona il cantiere di lavoro ad Auschwitz. Spostare e poi ripiantare qualche decina di ulivi è un "affronto al creato". Poco importa se il tubo ha un diametro inferiore a quello di un acquedotto (per far passare il quale si sono appena rimossi nella stessa regione migliaia di ulivi senza una protesta) e a molti sottoservizi che si trovano in una città. La battaglia è "ulivi contro gas". Tradizione contro modernità. Il gas è spacciato, non c'è competizione.

Le soluzioni ai problemi della sostenibilità passano per un cambiamento profondo nel paradigma dello sviluppo, ma come tutte le transizioni non possono essere gestite in modo emotivo, seguendo e amplificando le paure irrazionali. In altre parole, non possiamo passare dalla produzione di energia elettrica a quella rinnovabile senza passare per il gas, né chiudere le acciaierie per sostituirle con università per il turismo o parchi giochi, come proposto in Italia dal Movimento 5S per la più grande acciaieria europea, l'Ilva, pur in presenza di un piano di bonifiche, ambientalizzazione e modernizzazione degli impianti da 3,5 miliardi di euro. I populismi si ritirano rapidamente al contatto con il governo. E infatti il nuovo ministro dello Sviluppo economico dei 5S si è affrettato a confermare il contratto da noi sottoscritto con una grande azienda internazionale per rilanciare l'acciaieria di Taranto e adeguarla alle più avanzate normative ambientali.

Identità tra sostenibilità e pensiero progressista

La sostenibilità è un tema complesso e a più dimensioni. L'ambiente è certamente rilevante, anche dal punto di vista dell'immaginario collettivo, ma un approccio sostenibile allo sviluppo deve tenere insieme società, economia e istituzioni. L'Agenda 2030 delle Nazioni Unite identifica, partendo proprio da queste quattro dimensioni, 17 obiettivi (*Sustainable Development Goals*, SDGs) e 169 target misurabili. Un programma ambizioso e a tratti forse idealistico ma, come nota Enrico Giovannini: "Le stesse considerazioni potrebbero valere per ogni Costituzione del mondo, senza che questo renda inutili le Costituzioni". Il dato fondamentale è il riconoscimento di un grado di interdipendenza tra paesi diversi e tra politiche diverse. Per la prima volta cade poi l'idea che i paesi in via di sviluppo non possano o non debbano definire la loro agenda per raggiungere gli SDGs. L'ambizione coesiste con un'articolazione molto "realista" sulla necessità di coniugare ambiente, crescita economica, sociale e culturale nella prospettiva della sostenibilità.

Va coltivata l'opportunità che rappresenta, in particolare per i paesi più sviluppati, la transizione da un'economia di consumo a un'economia del benessere. Passaggio obbligato non solo dalla scarsità delle risorse naturali, ma anche dai limiti di sviluppo economico che il modello di consumo trova nelle economie mature dove i bisogni primari e secondari sono già sostanzialmente appagati. In parole povere, non possiamo fondare il nostro sviluppo sulla speranza che i cittadini occidentali cambino frigorifero o macchina ogni anno, anche in presenza di strumenti di indebitamento privato sempre più sofisticati. Dobbiamo invece progressivamente generare nuovi bisogni collegati al benessere individuale e collettivo anche elevando gli standard di beni e servizi. Non si tratta di sostenere la tesi di chi auspica una "decrescita felice" (che è felice solo per chi vende i libri raccontandola), ma al contrario di trovare risposte al rischio di "stagnazione secolare" di cui parlano tutte le principali istituzioni economiche. A un certo punto in questo secolo demografia e produttività raggiungeranno un livello di stallo. La possibilità di continuare a espandersi nel senso tradizionale del termine cesserà. Una decelerazione strutturale della crescita è già in atto da anni nei paesi sviluppati. Con il passaggio a un'economia basata sui servizi, gli incrementi di produttività pro capite si riducono rispetto alla fase "manifatturiera" dello sviluppo economico. Mentre il livellamento della popolazione determina una trappola di bassa crescita, se misurata secondo parametri standard. Le soluzioni per drogare la crescita esportando troppo (modello tedesco), o indebitandosi di più (modello americano), sono destinate, come abbiamo visto, a produrre bolle finanziarie e shock sul commercio internazionale. Giocare la partita della crescita in modo tradizionale vuol dire continuare ad alimentare gli squilibri di debito o dei saldi commerciali. Ma questi squilibri generano reazioni, dai dazi alle crisi finanziarie, che li rendono percorsi sempre meno praticabili e più pericolosi. L'economia mondiale è un grande stagno (sempre più piatto), le onde create dagli squilibri economici e finanziari colpiscono tutte le sponde.

115

La crescita delle economie emergenti sosterrà, sempre meno che in passato, l'aumento del Pil mondiale. È plausibile che intorno al 2050 raggiungeremo il punto di massima espansione. Alcuni studiosi ritengono che la velocità di urbanizzazione (la vita nei centri urbani porta a fare meno figli) e la bassa crescita favoriranno un livellamento della popolazione mondiale nel periodo 2040-2050 intorno agli 8 miliardi di persone e un livello di Pil pari a 2,2 volte l'attuale[8]. Un fatto decisamente positivo per l'ambiente, molto meno per la crescita se misurata in termini tradizionali. Anche in questo caso, come in quello della tecnologia, stiamo raggiungendo il punto in cui tutto dovrà essere ripensato: a partire dai vecchi modelli di sviluppo e di rappresentazione dello sviluppo.

Per questo un ragionamento sul passaggio da indicatori economici lineari, il Pil per primo, a indicatori di benessere equo e sostenibile è opportuno e urgente. Ragionare in termini di progresso e capitale sociale, ambientale, economico e umano è il modo per ridefinire la rotta della crescita oltre il consumo, rispondere alle paure e agli shock da cambiamento che le attuali misurazioni economiche colgono solo molto parzialmente. E magari a quel punto scopriremo come mai i governi perdono comunque le elezioni anche quando il Pil cresce! Senza spingersi fino agli indicatori di felicità – secondo i quali peraltro i cittadini della di Singapore sono molto più tristi di quelli del Costarica pur avendo un reddito pro capite quattro volte superiore[9] – è indispensabile un ribaltamento della prospettiva sulla valutazione delle politiche pubbliche per affrontare questa fase della storia. Sostituire la valutazione del progresso economico con la valutazione del progresso sociale non è un'utopia per "fricchettoni" e hippy, ma la risposta a un bisogno preciso dei cittadini che non considerano più gli indicatori tradizionali come rappresentativi del loro stato. E ciò è particolarmente vero in tempi di cambiamento violento.

"Considerando simultaneamente i concetti di resilienza e di sostenibilità, possiamo ripensare alle politiche pubbliche con categorie nuove, a seconda che esse tendano a: 'prevenire', e in taluni casi evitare, gli shock (politiche preventive); 'preparare' le persone, l'ambiente, le imprese e la società a reagire positivamente a possibili shock o a gestirli senza eccessivi danni; 'proteggere', cioè mitigare il loro impatto; 'promuovere' i cambiamenti necessari per adattarsi alle nuove condizioni; 'trasformare' il sistema e i suoi meccanismi di funzionamento verso lo sviluppo sostenibile."[10] La prospettiva della sostenibilità e gli indicatori a essa collegati sono dunque i più adatti ed efficienti per affrontare stagioni di cambiamento rapido e dirompente.

Prima di scrollare le spalle e pensare che i nostri problemi siano ben altri rispetto agli SDGs, un'analisi dettagliata, obiettivo per obiettivo, ci permette facilmente di comprendere come i problemi, anche economici, siano invece proprio questi: dall'uguaglianza di genere agli sprechi idrici alla bassa capacità innovativa del sistema produttivo. Insomma, se invece di discutere all'infinito sull'ultimo dato congiunturale del Pil (regolarmente in crescita per il governo e troppo basso rispetto alle aspettative per l'opposizione) costruissimo un meccanismo di monitoraggio e implementazione degli SDGs, il dibattito pubblico ne gioverebbe e così la direzione delle politiche pubbliche. Nel 2017 per la prima volta il governo italiano ha inserito questi indicatori nei documenti di programmazione economica: è un primo passo ma non sufficiente. La sostenibilità implica un governo dei processi e delle decisioni forte proprio perché parte da una prospettiva molto larga.

Dal punto di vista politico, una volta abbandonata l'idea che la sostenibilità si esaurisca nella protezione dell'ambiente, scopriremo che agenda progressista e sostenibilità coincidono completamente. Il primo passo per fondare un nuovo pensiero progressista è cambiare prospettiva, passando dall'economia alla società. Dal capitale economico al capitale sociale. Semplificando: un progressista ha come obiettivo la crescita della società, un liberista l'aumento della libertà economica, un nazionalista il mantenimento dell'identità. Questo non vuol dire che un progressista non consideri la crescita come una condizione necessaria allo sviluppo della società e la libertà economica come uno dei mezzi per perseguirla. Ma crescita e libertà economica sono i mezzi e non il fine. Allo stesso modo un progressista ha a cuore l'identità ma la considera in costante evoluzione come parte del progredire della società. L'obiettivo dei progressisti è quello di trovare il giusto punto di equilibrio tra libertà, società e identità che garantisca la spinta verso "quell'essere di più" che valorizza l'uomo quando persegue uno "sviluppo umano integrale".[11] Ridare forza a un'agenda progressista in un mondo meno incline a considerare il progresso come cambiamento positivo vuol dire dunque investire in primo luogo sulla capacità dei cittadini di comprendere e vivere i cambiamenti e sulla ricostruzione dei punti di riferimento di una comunità.

3.
Sapere e comunità

Analfabeti funzionali: il fallimento della democrazia liberale

La diffusione del benessere nel mondo si è accompagnata a una riduzione drastica dell'analfabetismo. Oggi quasi il 90% della popolazione mondiale di età uguale o superiore ai 15 anni sa leggere e scrivere. Nel 1975 era il 68%, nel 1820 il 12. Come nel caso della crescita economica, negli ultimi decenni il progresso del mondo in termini di educazione è stato straordinario e senza precedenti. Ma è stato lo stesso anche per l'Occidente? Oppure anche per questo fattore il miglioramento delle condizioni è avvenuto soprattutto fuori dai nostri paesi?

Per provare a dare una risposta dobbiamo prendere a riferimento un concetto piuttosto recente: l'analfabetismo funzionale. Con questa espressione si intende la condizione di una persona incapace di comprendere, valutare, usare e farsi coinvolgere da testi scritti per intervenire attivamente nella società, per raggiungere i propri obiettivi e per sviluppare le proprie conoscenze e potenzialità. L'analfabetismo funzionale è un concetto intrinsecamente sfuggente in quanto dinamico: è il

119

rapporto tra complessità della realtà e mezzi culturali per affrontarla. Tanto più la società è complessa tanto più l'asticella che misura l'analfabetismo funzionale si alza. Se prendiamo come riferimento la categoria *low skilled* (primi due di sei livelli) del rapporto Ocse-Piaac 2014 (*Programme for the International Assessment of Adult Competencies*) circa un quinto della popolazione adulta dei 33 paesi che hanno partecipato allo studio ha scarse capacità di lettura e informazione, mentre un quarto scarse capacità di calcolo e nell'uso di computer. Una persona su due è al livello più basso in quanto a capacità di risoluzione e gestione dei problemi in un ambiente ad alta intensità tecnologica. I risultati mostrano una grande differenza tra paese e paese. In Italia la percentuale di analfabeti funzionali è intorno al 28% (molto superiore alla media), negli Stati Uniti e in Germania il 18% (nella media), nei paesi nordici è intorno all'11-13%, decisamente più bassa della media. La percentuale di persone che al contrario si colloca nei due livelli più alti è di poco superiore al 10%. Se consideriamo, ottimisticamente, i primi tre livelli più bassi come l'area di incapacità a trovare la propria strada in una società complessa e in rapido cambiamento, scopriamo che la maggioranza della popolazione dei paesi considerati dal rapporto Ocse vi appartiene, e forse non è un caso che questo dato coincida con l'indice di mobilità sociale. Né possiamo essere particolarmente soddisfatti dell'andamento visto che negli ultimi vent'anni i dati sono rimasti sostanzialmente gli stessi.

A questi dati di per sé drammatici va aggiunto quello che Tullio De Mauro chiama "analfabetismo di ritorno" ovvero la "regressione verso livelli assai bassi di alfabetizzazione a causa di stili di vita che allontanano dalla pratica e dall'interesse per la lettura o la comprensione di cifre, tabelle, percentuali".[1] La stima di De Mauro è che gli italiani che hanno le competenze culturali per comprendere discorsi politici o come funziona la politica è inferiore al 30%. Il punto di De Mauro è a mio avviso particolarmente importante. Agire sulla scuola e la formazione non basta. Il mantenimento di livelli di alfabetizzazione adeguati dipende da un lavoro costante di arricchimento culturale. Per avere una situazione soddisfacente dovremmo combinare una buona diffusione delle competenze di base e un elevato livello di consumo culturale. In Europa solo i paesi nordici sembrano aver raggiungo questa situazione.

La risposta alla domanda che ci siamo posti è dunque abbastanza evidente: esattamente come nel caso della crescita economica, i miglioramenti nell'educazione (sia pure di base) negli ultimi decenni si sono concentrati fuori dai paesi occidentali. Siamo davanti al più grande fallimento delle democrazie liberali. Superiore in quanto a effetti persino a quello della crescita delle diseguaglianze (di cui è una delle cause principali), su cui però si concentra tutta l'attenzione dei media, della politica e della maggior parte degli studiosi. Ed è un fallimento particolarmente grave per i progressisti e i loro governi. La società della conoscenza, da essi propagandata, era fondata sullo scambio – minori tutele maggiori opportunità – derivante proprio da un aumento delle competenze e della cultura. Le tutele sono sparite, le opportunità non sono arrivate perché nessuno ha fornito ai cittadini i mezzi per coglierle.

La portata di questo fallimento è vastissima e colpisce tutte le dimensioni della società e dell'economia. Proviamo a mettere in fila le conseguenze.

Esiste una ovvia correlazione tra paura del futuro (e del presente) e mezzi intellettuali di cui disponiamo per affrontarlo. Ma ancora più significativo è l'effetto contagio tra generazioni. Posso accettare di vive-

121

re in una società che non comprendo e che temo se so che mio figlio ha gli strumenti per affrontarla. Ma se al contrario sento che il suo destino è segnato dalla nascita (e ciò è particolarmente vero in Italia) allora la paura del futuro, il rifiuto della modernità e il rancore diventano profondi e invincibili. Dobbiamo mettere bene a fuoco questo fatto per due ragioni: 1) la parte più rilevante di analfabeti funzionali si trova tra le persone con un'età superiore ai 55 anni che sono già fuori dal mercato del lavoro e molto distanti da qualsiasi processo formativo e di studio. 2) Proprio per questa ragione è molto difficile intervenire direttamente su di loro con processi educativi e di acquisizione di competenze. Concentrare gli sforzi sui giovani e sui cittadini attivi è dunque il modo più rapido ed efficace per riportare fiducia nell'intero corpo sociale.

Secondo il report Ocse-Piaac, esiste una relazione diretta tra partecipazione politica e livello di competenze e cultura. Al crescere del livello di cultura e competenze cresce il livello di *political efficacy* ovvero: "La convinzione che l'azione politica individuale ha o può avere un impatto sui processi politici e che pertanto sia utile impegnarsi nei propri doveri civici". In altri termini, a livelli di competenze superiori corrispondono livelli di partecipazione maggiore, con una media di circa 25 punti percentuali di differenza tra persone con un basso livello di competenze e persone con un alto livello. Vale la pena notare che se si sostituisce al parametro *political efficacy* quello della fiducia, il differenziale tra le diverse classi si dimezza. Sintomo che il problema della mancanza di fiducia è più trasversale e più profondo.

Se c'è un campo ampiamente investigato è quello del rapporto tra competenze e crescita economica, in particolare crescita della produttività. Ma quello che è ancora più importante sottolineare è quanto competenze e cultura siano diventate fondamentali per affrontare una società digitale dove il lavoro ha perso la struttura del modello fordista. Non esistono più competenze che una volta acquisite bastano per affrontare una vita intera. Un processo di formazione continua è dunque il più importante ammortizzatore sociale di cui dovremmo disporre. In Italia sindacati e imprese hanno fatto passi avanti su questo tema, cominciando a definire i contenuti di un "diritto alla formazione" che inizia a trovare spazio nei contratti. Il nostro governo ha iniziato ad accompagnare questo processo con un credito di imposta sulla formazione, ma siamo davvero ai primi passi. È del tutto evidente che in una società in cui il cambiamento di professione e di mansione è costante, e dove modelli di lavoro autonomo e imprenditoriale sono destinati ad aumentare, cultura e competenze devono crescere esponenzialmente. Il fallimento delle politiche pubbliche in questo caso è eclatante. Il lavoro è cambiato ma la risposta è partita con decenni di ritardo. Il risultato è un totale scollamento temporale tra politiche pubbliche e mutamento della società. Non è un caso che si vadano rafforzando le richieste di irrigidire le normative sul lavoro nella vana speranza di poter tornare indietro rispetto a un presente che ci trova impreparati. E anche qui, come nel caso dell'immigrazione o della globalizzazione, a nulla servono le accuse dei progressisti liberali di ignoranza e arretratezza verso chiunque chieda maggiori protezioni. Se non hai i mezzi per essere nel cambiamento, cerchi tutti gli strumenti per fermarlo.

Esiste poi una correlazione diretta tra competenze, cultura e stili di consumo. In una democrazia liberale i comportamenti individuali contribuiscono a definire la direzione complessiva della società. Ciò vale anche per gli stili di consumo. Quello che compriamo ha un effetto decisivo sul funzionamento dell'economia e della società. Se gli acquisti si concentrano, ad esempio, sulla sostituzione annuale degli smartphone, questa industria prospererà. Se non andiamo a teatro o non leggiamo, si produrranno sempre meno opere teatrali e si pubblicheranno meno libri. Ma non è solo una questione delle categorie di beni che compriamo ma anche di come li scegliamo. Esiste una nuova e forte tendenza verso la responsabilità (sociale, ambientale ecc.) negli acquisti, che si va diffondendo e sta radicalmente cambiando anche l'atteggiamento delle aziende produttrici di beni. Non è un caso che ad aprire la strada siano stati i marchi più importanti. I consumatori più sofisticati, in particolare giovani, prestano sempre più attenzione al rapporto tra prodotto e valori che incorpora. Questo cambiamento verso un consumo responsabile va incoraggiato dai governi attraverso l'obbligo di tracciabilità dei prodotti e l'inclusione di clausole sulla sostenibilità veramente vincolanti negli accordi di libero scambio. Per questo abbiamo varato una normativa nazionale molto stringente sulla tracciabilità in alcune filiere agroalimentari e abbiamo portato avanti una battaglia in Europa per inserire clausole più rigide sul *dumping* sociale negli accordi internazionali.

Guardiamo ora i dati relativi alla spesa in cultura per come emergono dall'ultima ricerca di Eurostat (*Culture Statistics 2016 edition*). In Europa la spesa culturale, in senso molto lato, per famiglia ammonta al 3,7% della spesa complessiva. Se andiamo a vedere le singole voci scopriamo che il 23% di questa percentuale è fatta da abbonamenti a tv a pagamento e solo il 10% circa dall'acquisto di libri. In Italia le persone che negli ultimi 12 mesi hanno letto almeno un libro sono il 54%, quelli che ne hanno letti da 5 a 9 sono meno del 10. Persino inferiore è la quota di quelli che hanno visitato un sito museale almeno una volta in un anno (45%), e meno del 5% quelli che lo hanno fatto più di 6 volte. In Italia: cioè il primo paese al mondo per numero di siti Unesco. Rimane alta la percentuale di chi legge quotidianamente un giornale (60%), anche su piattaforme digitali (67%). A riprova che il digitale contribuisce alla diffusione della cultura e non la scoraggia.

Ultimo punto che rimane da indagare è il rapporto tra competenze e partecipazione in attività sociali utili alla comunità, a partire dal volontariato. Prendendo i dati Ocse-Piaac scopriamo che sono più o meno gli stessi rispetto a quelli relativi alla *political efficacy*: esistono in media 20 punti percentuali di differenza tra i due livelli più bassi e i due livelli più alti di competenze di alfabetizzazione in termini di impegno in attività di volontariato.

Sapere e comunità

Nell'analisi dell'Ocse il volontariato è usato come esempio di capacità di partecipare a una vita associativa e comunitaria. Questo rapporto tra alfabetizzazione e comunità è particolarmente rilevante perché insiste su due elementi fondamentali per ricostruire un rapporto di fiducia nel futuro. Il primo è appunto la possibilità di comprendere la realtà e le sue evoluzioni, il secondo la possibilità di affrontare non individualmente ma collettivamente, come comunità, il cambiamento. Alla caduta della tradizione, in particolare la marginalizzazione del ruolo della religione, all'indebolimento dello Stato, all'attenuarsi dei legami gerarchici e del principio di autorità che contraddistinguono la società moderna, si è associato negli ultimi decenni la perdita di ruolo delle comunità e dei corpi intermedi. Ciò ha determinato una fortissima individualizzazione del rischio. In passato l'appartenenza a una classe, a un mestiere, a un sindacato faceva sì che in qualche modo "i rischi sociali non erano intesi come risultati di fallimenti individuali ma piuttosto come espressione di un destino condiviso".[2] I corpi intermedi erano luoghi di identità collettiva e scuole di democrazia e partecipazione. Oggi i processi di trasformazione, molto più rapidi e violenti rispetto al passato, sono affrontati in larga parte in solitudine. Per ricostruire luoghi comuni di partecipazione non si potrà più contare su appartenenze sempre più labili e temporanee, quanto sugli interessi e sulle passioni condivise. Sta già accadendo. Oggi nuove forme di partecipazione si raccolgono intorno a specifici temi d'interesse. Il nuovo collante comunitario ha dunque totalmente a che fare con la cultura e la conoscenza e poco ha a che fare con appartenenza ideologica e di classe. Gli interessi culturali definiscono le passioni che si possono condividere e il modo in cui si condividono. Compito dello Stato è dare voce e spazio a questi nuovi corpi intermedi (ma anche a quelli più tradizionali che sopravvivono) sostenendoli, coinvolgendoli nei processi decisionali e finanche affidando loro specifici compiti sociali. Potenziarne le capacità aggregative e averli vicini (anche come controparte) è indispensabile per gestire le trasformazioni economiche e sociali.

Oltre all'oggettiva individualizzazione di alcuni rischi lavorativi e sociali esiste una categoria di rischi che è ancora più impattante rispetto al futuro e molto più difficile da combattere. Sono i rischi che Ulrich Beck definisce "universali e non specifici".[3] Sono quelli di cui abbiamo già parlato, spesso connessi al progresso (rischi ambientali o tecnologici), che danno luogo a reazioni di radicale rifiuto della modernità.

Rispetto a questi rischi la conoscenza ha un valore fondamentale. Questi rischi sono infatti generalmente "dipendenti dal sapere altrui" ovvero difficilmente valutabili direttamente. Una categoria di rischi che meglio si presta al fenomeno delle *fake news* o anche più semplicemente allo sfruttamento della paura da parte dei media. Combattere contro le notizie false che insistono sui "rischi universali non specifici" è particolarmente arduo. E tanto per chiarire la portata dei danni che possono provocare basta dire che mentre scrivo l'intera politica commerciale dell'Unione europea è a rischio per la convinzione, assolutamente falsa, che i trattati commerciali aprano la porta a prodotti alimentari geneticamente modificati o oggetto di sofisticazioni a base di ormoni e altro. Il dato di fatto, ripetuto fino alla nausea, che nessun trattato può intaccare il principio di precauzione che tiene fuori dall'Europa questi prodotti, nulla può contro la "presunzione di colpevolezza" che accompagna ogni rischio conseguente al terribile binomio progresso-mercato. La stessa cosa accade sulla questione della sicurezza. E da qui che nasce la malattia mortale del nostro sistema dei media: il primeggiare della cronaca sulla realtà. La scarsa capacità di orientarci tra dati e numeri determina il prevalere delle singole storie, di cui la cronaca è fatta, sulla rappresentazione del complesso dei fatti. Ma un'informazione che poggia solo sulla cronaca è per definizione manipolata dalla selezione delle storie che vengono raccontate, e orientata al "dramma". Questa dinamica, ben più delle famigerate *fake news*, ha distrutto ogni possibilità di affrontare in modo razionale paure irrazionali. Se un dato nascosto nel servizio di un telegiornale che segnala il miglioramento della produttività o l'aumento dei posti di lavoro, viene sommerso da centinaia di storie di disperazioni individuali e di crisi aziendali, come fanno i cittadini a valutare la realtà e a formarsi un'opinione? La cronaca spinge il cittadino verso un giudizio generale e assoluto negativo. La rabbia non può che diventare l'unica *ratio* del voto. Il meccanismo appena descritto dovrebbe portarci a spostare molto in alto la soglia dell'analfabetismo funzionale. L'analfabetismo informativo è infatti una delle cause più evidenti di paura del futuro, rifiuto della modernità e instabilità democratica.

E la bellezza?

Esiste un'ultima questione che vale la pena indagare nel rapporto tra paura e cultura. Ed è la questione della bellezza. Potrà sembrare forse una divagazione rispetto al ragionamento sin qui seguito ma io sono convinto che non sia così. Per dirla con Hannah Arendt "un oggetto può dirsi culturale nella misura in cui resiste al tempo; la sua durevolezza è in proporzione inversa alla sua funzionalità".[4] L'arte persegue la bellezza nel senso di ricerca della perfezione come ideale (intrinsecamente irraggiungibile). La trascendenza dalla contingenza, dall'oggi e dalla funzionalità è un elemento scarsissimo nella nostra società. Proprio per questo cultura, arte e la bellezza hanno un ruolo potenzialmente fondamentale. Rappresentano uno dei pochissimi residui di "trascendenza" rimasti. La caduta delle ideologie riconducibili all'umanesimo nazionalista e socialista e la fragilità della religione rendono l'arte e la bellezza l'ultima roccaforte, insieme alla comunità, "dell'oltre" nella nostra società. E ne abbiamo molto bisogno per darci un "senso" in qualche misura oggi perduto. Per questo vale la pena, e l'Italia è il paese che più di ogni altro è in grado di farlo, fornire i mezzi economici e conoscitivi per riportare l'arte e la cultura in tutte le sue forme al centro di un progetto sociale. Un antidoto potente alla solitudine e all'alienazione; un grande promotore di senso di comunità e identità. I modi per farlo sono molti e avvalersi dei nuovi strumenti, senza indulgere in ridicoli snobismi, è fondamentale. Anche in questo caso il ritorno al passato non è la strada corretta. Penso ad esempio al ruolo della televisione nella diffusione della cultura. Oggi pensare di concentrare, come accadde negli anni sessanta e settanta, in un unico media – la televisione pubblica – tutti i contenuti culturali è semplicemente assurdo. Nonostante ciò in Italia continuiamo a mantenere una televisione pubblica ampiamente sostenuta dalle tasse dei cittadini, che è diventata negli anni terreno di scorrerie per ogni governo (compreso il nostro) che si è succeduto. La scusa per mantenerla nelle mani dei politici è appunto quella del ruolo culturale del servizio pubblico. Per assolvere questo compito sarebbe molto più efficiente privatizzare le reti pubbliche e utilizzare il canone per incentivare la trasmissione di contenuti culturali su tutti i media.

Conclusioni. La paura e la crisi dell'umanesimo liberale

Il futuro si è trasformato nel luogo delle paure perché il mondo è diventato molto più complesso e ha raggiunto una velocità di cambiamento che supera le capacità trasformative della società e quelle culturali dell'uomo. Rimaniamo costantemente indietro. Il risultato di questo processo è che le fratture tra vincenti e perdenti, tra chi comprende e naviga nel cambiamento e chi resta spaventato e rattrappito ai margini, diventano sempre più profonde. Le forze più avanzate (tecnica, finanza e mercato), che avevano gestito e cavalcato la trasformazione della prima fase della globalizzazione, sono lanciate nella corsa del progresso tecnologico e scientifico ma ancora una volta il corpo della società arranca a distanze siderali. Politica, Stato, corpi intermedi, strutture famigliari, tradizione e persino il capitalismo e l'economia di mercato sembrano destinate a polverizzarsi davanti alla corsa della tecnica e del progresso scientifico. Se la globalizzazione ci aveva privato dello spazio, il progresso sembra privarci del tempo e della forma, della società e dell'umanità. Salti antropologici sono forse in vista e domande mai prima affrontate si profilano all'orizzonte. Non siamo preparati. E dunque siamo molto, e comprensibilmente, spaventati. Riconoscere legittimità alla paura è il primo passo per riconquistare uno spazio di proposta costruttiva per i progressisti. Per dirla in modo semplice: i progressisti devono smettere di avere paura della paura. Una risposta fideistica, oggi, sulla tecnologia sarebbe ancora più sbagliata di quella avanzata, ieri, su mercato e globalizzazione. Nessuno dei due è un fenomeno di evoluzione naturale bensì artificiale e umano. L'evoluzione naturale ha tempi che sono compatibili con l'ecosistema e con le specie. L'evoluzione nell'"Antropocene" trova invece un limite solo nella capacità di potenza della tecnica o nella ribellione dell'ecosistema e delle persone escluse. E nessuno di questi ultimi esiti è consigliabile. Riprendere le redini dello sviluppo e del progresso è un obiettivo difficile ma ineludibile. Un progetto di cambiamento profondo e radicale che deve accelerare rispetto ai primi stentati passi mossi sino a ora. Un progetto che parte dal potenziamento dell'uomo, delle sue capacità di conoscere, di orientarsi, di associarsi, di partecipare e infine di tenere in mano le redini del cambiamento. Potenziamento dell'uomo e potenziamento della tecnologia e della tecnica non sono la stessa cosa. Dobbiamo investire sull'uomo almeno tanto quanto stiamo investendo sulla tecnologia e sulla scienza. Cultura e tecnica devono tornare a muoversi alla stessa velocità. Abbiamo costruito gli strumenti per la potenza dell'uomo ma non la consapevolezza di come usarli e di come goderne. Allo stesso tempo dobbiamo assumere come prospettiva la crescita della società rispetto alla crescita dell'economia. Ricostruire in modo innovativo un senso di comunità è lo sforzo a cui siamo chiamati. Cultura e comunità sono gli antidoti alla disumanizzazione. Ciò vuol dire rivoluzionare ogni misurazione attualmente in uso per verificare se vi sia un effettivo progresso o se dietro i numeri di crescita del Pil si nasconda un regresso culturale, sociale, ambientale ed economico (inteso come benessere diffuso). Perché cosi è stato in Occidente negli ultimi trent'anni! I numeri sull'analfabetismo funzionale lo dimostrano più ancora di quelli sulle diseguaglianze. L'Occidente è regredito nel periodo di massimo progresso del mondo. E il massimo progresso del mondo è stato innescato proprio dall'Occidente. Questo è un paradosso intollerabile e giustamente non tollerato dai cittadini occidentali. La battaglia per le democrazie liberali si vince partendo da una consapevolezza: se in una società liberale le persone non hanno i mezzi culturali per capire, quelli materiali per progredire e quelli sociali e spirituali per vincere la solitudine, un rifiuto della modernità profondo, indistinto e cupo porta a ripiegare verso modelli autoritari, chiusi, gretti e difensivi. È molto importante essere chiari su questo punto ed evitare fraintendimenti: le classi dirigenti liberaldemocratiche sono state bocciate non perché le persone sono "ignoranti" ma perché i risultati oggettivi delle politiche di questi ultimi trent'anni sono deludenti e la capacità di proporre una narrazione credibile persino peggiore. L'errore

131

definitivo che i progressisti devono evitare è quello di attribuire i loro fallimenti ai cittadini. Cultura, competenza, educazione, bellezza rinsaldano i rapporti dei cittadini con il futuro, la comunità e la libertà, non con i partiti progressisti. Confondere i due piani sarebbe l'ennesimo atto di arroganza e presunzione.

I tre pilastri dell'umanesimo liberale – diritti, libertà economica e progresso – reggono se le fondamenta umane sono solide e la paura trova risposte adeguate. Questo è il campo di battaglia dei prossimi venticinque anni. La battaglia per la democrazia è anche una battaglia per l'umanesimo. Ed è già iniziata.

Parte terza
Il presente.
Costruire una democrazia progressista

> Se tutti gli uomini, meno uno, avessero
> la stessa opinione, non avrebbero più
> diritto di far tacere quell'unico indivi-
> duo più di quanto ne avrebbe lui di far
> tacere, avendone il potere, l'intera
> umanità.
>
> J.S. Mill

1.
La democrazia liberale e la tirannia dell'economia

La democrazia è a rischio?

Leader forti e autoritari si vanno affermando sulla scena mondiale. Questi leader sembrano capaci di ricongiungere politica e potere, dopo un trentennio in cui il potere politico è stato sottomesso da quello economico e finanziario. Ma possiamo realmente parlare di un rischio per la democrazia? Porsi questa domanda è indispensabile, perché negli ultimi decenni in Occidente le opposizioni hanno spesso prospettato, senza grande fortuna, questo pericolo: è accaduto in Italia nel ventennio berlusconiano e in America durante la presidenza di George W. Bush. In entrambi i casi si è trattato di una strategia poco lungimirante da parte dei partiti democratici dei due paesi. Le accuse riguardavano la manipolazione dei media, la commissione di reati e l'utilizzo del potere politico per celare informazioni e/o agire per interesse personale. In nessuno dei due casi la democrazia liberale è stata mai davvero a rischio. Certamente ci sono state delle distorsioni e delle patologie, ma i sistemi liberaldemocratici hanno tenuto tranquillamente. Dopo Bush è arrivato Obama e dopo Berlusconi Monti. Siamo nella stessa situazione o qualcosa di più profondo e nefasto sta oggi minando veramente le fondamenta della democrazia liberale? Occorre innanzitutto definire cos'è una democrazia liberale.

Nel 1944 Churchill, all'indomani della caduta del fascismo, indirizzò al popolo italiano una lettera che ben sintetizza le libertà garantite da una democrazia liberale.

Esiste il diritto di libera espressione delle opinioni e di opposizione critica al governo in carica? Il popolo ha il diritto di rifiutare un governo che esso disapprova e sono stati forniti gli strumenti costituzionali con cui possa esprimere la sua volontà? I tribunali sono immuni dalla violenza del potere esecutivo e dalle minacce di violenza delle masse e svincolati da qualsivoglia associazione con particolari partiti politici? Tali tribunali amministreranno leggi chiare e collaudate, associate nella mente dell'uomo ai principi generali di decoro e giustizia? Vi saranno condizioni uguali per i poveri e per i ricchi, per i singoli cittadini così come per i funzionari di governo? I diritti dell'individuo, subordinatamente ai suoi doveri nei confronti dello Stato, saranno mantenuti, difesi, esaltati? Il semplice contadino e operaio, che si guadagna da vivere con il sudore quotidiano e cercando di metter su famiglia, è libero dalla paura che una sinistra organizzazione poliziesca sotto il controllo di un partito unico, come la Gestapo, fondata dai partiti fascisti e nazisti, bussi alla sua porta e lo condanni, senza un processo equo e pubblico, alla servitù o ai maltrattamenti?[1]

L'idea di democrazia di Churchill è quella classica liberale. Più del suffragio universale, i liberali hanno tradizionalmente inteso difendere l'individuo e i suoi diritti da quella che Tocqueville chiamava "tirannia della maggioranza". Un'idea molto diversa dalla "democrazia degli antichi", considerata come esercizio collettivo e diretto delle funzioni della sovranità che aveva il suo obiettivo principale nella distribuzione del potere di voto. Oggi siamo portati a considerare democrazia solo quella in cui i diritti di cui parlava Churchill sono pienamente tutelati. Lo stato di diritto è la caratteristica fondamentale di una democrazia liberale.

Nel nostro linguaggio comune democrazia e democrazia liberale sono diventate la stessa cosa. La democrazia per noi è sempre associata all'esercizio costituzionalmente limitato dei poteri pubblici. Ma non è così. Democrazia e autoritarismo non sono termini in antitesi, "essendo le domande chi è il sovrano? e come comanda il sovrano? domande diverse ed eterogenee".[2] Nazismo e fascismo sono saliti al potere attraverso un processo democratico e hanno goduto di un'amplissima base di consenso per gran parte della loro permanenza. Il popolo può essere sovrano e contemporaneamente esercitare il potere in modo autoritario. Il rapporto tra democrazia e liberalismo è stato lungo e travagliato. Basti pensare al dibattito sul suffragio universale, avversato per molti anni dai liberali proprio in forza del rischio che un sistema troppo democratico (e l'impreparazione dei cittadini a esercitare il diritto di voto in modo consapevole) potesse appunto favorire il sorgere di tirannie democratiche. Mentre al contrario Rousseau nel *Contratto sociale* "aveva escogitato, non senza forti suggestioni degli autori classici, una repubblica in cui il potere sovrano, una volta costituito per concorde volontà di tutti, diventa infallibile e non ha bisogno di dare garanzie ai sudditi, perché è impossibile che il corpo voglia nuocere a tutti i suoi membri".[3] La tentazione al ritorno di una "democrazia degli antichi" diretta e potenzialmente tirannica trae linfa dalla diffusione dei nuovi media, anche perché annulla la distanza e il rispetto: "Una società senza rispetto, senza pathos della distanza sfocia in una società del sensazionalismo".[4] La caduta della distanza e del rispetto è anche la caduta dell'ordinamento del potere: "Il potere è una relazione asimmetrica che fonda un rapporto gerarchico".[5] I social media contribuiscono a distruggere questo rapporto. Lo "sciame digitale" è indignato e rabbioso ma anche individualizzato e per questo senza una finalità o una rivendicazione precisa. Rappresentanti e burocrati sono nemici anche perché esperti e competenti. La sfiducia verso il parere degli esperti, che abbiamo visto caratterizzare una parte dei cittadini quanto entrano in ballo i rischi "universali non specifici"[6], ha la stessa matrice della sfiducia verso chi intermedia ed esercita il potere sia pure delegato dai cittadini stessi. La proposta, portata avanti da partiti populisti in alcuni paesi, di inserimento di un vincolo di mandato nella Costituzione, contrario ai principi della democrazia liberale, riflette questa percezione. Il parlamentare non è più libero di agire nell'interesse generale, ma solo come rappresentante del movimento o del partito che lo ha presentato al voto degli elettori. E già c'è chi si spinge a teorizzare la fine del Parlamento. Un inutile orpello della democrazia (corrotta) liberale in un'epoca segnata dal rapporto diretto e immediato tra cittadini e sfera pubblica. Il tentativo è quello di instaurare una versione digitale della "democrazia degli antichi".

Un'altra questione controversa è il rapporto tra democrazia liberale e liberismo economico, oggetto di un formidabile scambio tra Benedetto Croce e Luigi Einaudi, con il primo che sosteneva la possibilità di coniugare una società liberale dal punto di vista etico-politico con una socialista in economia. I fatti hanno dato ragione a Einaudi. La tutela della proprietà privata e la libertà economica sono parte integrante dell'idea contemporanea di democrazia liberale. Ritengo la libertà economica un elemento fondamentale della democrazia, sulla base del fatto che uno Stato che controlla l'economia controlla anche i propri cittadini. L'idea di Schumpeter che una burocrazia indipendente possa mettere al riparo, in caso di economia statalizzata, da rischi di controllo e in ultima analisi di sottomissione dei cittadini mi sembra utopica. Potrebbe sembrare un dibattito datato ma non lo è nel momento in cui l'*Universal basic income* – o reddito di cittadinanza – torna alla ribalta. Ma questo non vuol dire che in una democrazia liberale lo "Stato minimo" sia una condizione fondamentale. Da questo punto di vista l'idea liberista per cui il liberalismo politico è soltanto un modo, peraltro non indispensabile, per conseguire l'assoluta libertà economica si colloca a mio avviso ai margini dell'idea di democrazia liberale. Vi è del resto una "perenne tensione tra la democrazia e l'economia di mercato"[7] che deriva anche dai differenti modelli organizzativi: monocratico e orientato a un solo obiettivo quello delle aziende, partecipativo e diretto al conseguimento dell'interesse generale quello dei poteri pubblici. La democrazia liberale ha molteplici declinazioni, tra le quali vale la pena segnalare quella "sociale", nella quale "la libertà per l'insieme della società e una politica orientata ad assicurare la giustizia sociale [...] sono positivamente coniugate".[8] Ma il rispetto di un nucleo di diritti, il principio di limitazione del potere statuale e infine l'esercizio della democrazia attraverso rappresentanti accomunano tutte le differenti incarnazioni di democrazie liberali (dagli Stati Uniti ai paesi nordici europei con un esteso sistema di welfare statale). Quello che è oggi a rischio non è dunque la democrazia intesa come processo di selezione dei governanti, ma la sua versione liberale, i diritti che ne sono parte costitutiva e che hanno l'obiettivo di evitare, ieri come oggi, la "tirannia della maggioranza". Polonia, Turchia, Ungheria,

Russia sono oggi, sia pure con gradi diversi, "democrazie illiberali" piuttosto che dittature o paesi non democratici.

Esiste poi un collegamento profondo tra paura, identità sociale e sistema politico. L'identità sociale nasce soprattutto *dalla* competizione o *nel* conflitto tra gruppi. "La paura dei pericoli, reali e immaginari che siano, sembra essere una fondamentale causa dell'adesione a visioni del mondo che hanno il compito di razionalizzare i pericoli, minimizzare l'incertezza, rassicurare sui rischi."[9] Ovviamente la paura non è l'unica causa dell'azione umana. Tucidide ne riconosceva tre fondamentali: l'interesse, il timore e l'onore. Ma la paura – il timore – è senza dubbio quella più profonda, più potente e più identitaria. Per questo in epoche di grandi paure prevalgono visioni organicistiche e autoritarie dello Stato. La società accetta un grado di conflittualità interna inferiore e dunque è portata a limitare diritti e spazi di libertà individuale. Le democrazie liberali si fondano anche sul conflitto e sulla disarmonia. Proprio attraverso il confronto costante tra tesi diverse una democrazia liberale evolve e si modernizza. Evolvono i diritti oggetto di tutela (che non sono diritti naturali, ma "pattizi", e in quanto tali in divenire), come i diritti LGBT a seguito di aspre battaglie, ma anche la teoria dello Stato che assicura il conseguimento e la tutela delle libertà. Non vi è dubbio, ad esempio, che nel tempo il principio di eguaglianza economica, una volta considerato distante se non opposto all'idea di Stato liberale, sia ricompreso oggi tra i diritti che lo Stato deve tutelare almeno dal punto di vista della eguaglianza delle opportunità. Ne deriva che il processo decisionale in una democrazia liberale è lento e complesso. Aggiornare le carte costituzionali, per rendere le democrazie liberali più efficienti, è difficile proprio perché l'equilibrio che si

140

raggiunge tra efficienza del processo decisionale e rispetto delle minoranze è fragile, faticoso e frutto di decenni di lenti aggiustamenti. Le Costituzioni rappresentano le regole del gioco e i processi per cambiarle sono complessi proprio per evitare la "tirannia della maggioranza" e l'indebolimento dello stato di diritto. Aggiungo che provare a farlo in un periodo di generale sfiducia nei confronti della politica risulta proibitivo, come ben sappiamo in Italia. La questione della fragilità delle istituzioni liberaldemocratiche, rispetto a un mondo più veloce, complesso e spaventato, non riguarda solo il nostro paese. Nel 2014 "Foreign Affairs" intitolava il suo numero di settembre/ottobre *American in Decay. The Sources of Political Dysfunction*. L'autore dell'articolo di copertina, Francis Fukuyama (quello della fine della Storia, per capirci), elencava i principali problemi del malfunzionamento del sistema politico e istituzionale degli Stati Uniti:

- la pubblica amministrazione, una volta "il regno dell'implementazione" delle decisioni politiche, è diventata ipertrofica e inefficiente. La qualità dell'azione di governo è dunque diminuita sensibilmente per l'effetto combinato dell'ampliamento dei compiti assegnati alla burocrazia e della diminuzione dei budget e della minore attrattività di talenti rispetto al settore privato. Aggiungo che l'attacco alla burocrazia è stato portato sia dai cittadini e da coloro che la ritengono un'istituzione antidemocratica, sia dalla politica in cerca di un capro espiatorio per i suoi fallimenti.
- La stabilità delle istituzioni si è trasformata nell'immobilità delle istituzioni. La modernizzazione economica porta problemi politici e istituzionali. Questo fenomeno è stato osservato nei paesi in via di sviluppo. Ma negli ultimi trent'anni anche nei paesi

141

avanzati, la modernizzazione ha provocato cambiamenti velocissimi che non hanno trovato riscontro nella capacità delle istituzioni di affrontarli.

• Il ruolo sempre più preponderante del potere giudiziario e di quello legislativo sull'esecutivo. Un processo che ha reso le funzioni proprie del governo incoerenti e inefficienti. La sfiducia nel governo derivante da questa situazione si manifesta anche nel fiorire di agenzie e autorità che talvolta complicano l'azione del governo rendendola ancora meno efficiente e unitaria.

• Le lobby e gli interessi organizzati hanno un ruolo sempre più grande. I conflitti di interesse proliferano insieme al costo delle elezioni. Abolito un po' ovunque il finanziamento pubblico ai partiti, la dipendenza verso finanziatori privati è aumentata in ogni democrazia liberale.

• L'aumento dei poteri di veto (che Fukuyama chiama *"the rise of Vetocracy"*). Federalismo, giustizia amministrativa e moltiplicazione delle agenzie e dei livelli decisionali hanno reso l'azione del governo e della pubblica amministrazione ostaggio di un processo decisionale sempre più frammentato. Questo fenomeno è anche l'effetto della sfiducia dei cittadini verso le istituzioni democratiche. Fiducia che finisce invece paradossalmente per dirigersi verso istituzioni non-democratiche. Per questo gli americani, che tradizionalmente mantengono un grande rispetto nei confronti dell'esercito ma non in contrapposizione con le istituzioni democratiche, sono oggi convinti in un numero che non ha precedenti nella storia – ben un quarto dei giovani da 18 a 24 anni – che avere un governo militare sia una cosa buona o molto buona.[10] Esiste un paradosso evidente nella richiesta di sempre più controlli democratici nei confronti di chi si elegge e il desiderio di essere governati da istituzioni forti non elettive.

L'elenco di Fukuyama delle cause della decadenza politica americana è valido per molte altre democrazie liberali. Lo è certamente per l'Italia. C'è infine un'ultima ragione per la crisi della politica e della democrazia liberale in Occidente. L'abbiamo esplorata nei precedenti capitoli e riguarda la separazione tra politica e potere conseguente all'indebolimento dello Stato-nazione. Con il prevalere dei mercati internazionali rispetto ai mercati nazionali lo Stato ha piano piano perso i propri poteri. A questa perdita non si è associata la nascita di un potere politico democratico sovranazionale. L'unico esperimento mai realmente tentato, in questo senso, è quello europeo, ma anche in questo caso l'integrazione economica è andata molto più avanti di quella politica. Negli ultimi trent'anni è prevalsa una concezione liberista della democrazia. Ovvero la tesi secondo cui la democrazia liberale è strumento, non sempre necessario, della libertà economica intesa come libertà fondamentale. L'internazionalizzazione dell'economia ha così finito per indebolire la democrazia liberale. Storicamente mercato e innovazione tecnologica trovano un argine in uno Stato forte e in una politica che deve moderarne l'azione sulla base della valutazione degli impatti sulla società. Queste forze collidono fino a trovare un punto di equilibrio. Negli ultimi trent'anni non è accaduto: mercato e innovazione hanno prevalso e infine travolto lo Stato nazionale. Ma quando i cambiamenti investono la società a una velocità superiore alla sua capacità di adattamento, i cittadini continuano a pretendere, giustamente, che sia lo stato a proteggerli e garantirli. In tempi di cambiamenti rapidi e straordinari l'assenza di uno Stato

143

forte ed efficiente finisce dunque per danneggiare la democrazia liberale ed esporla a pulsioni autoritarie. Un paradosso rispetto al passato. Le democrazie liberali nascono per garantire spazi di libertà ai cittadini e ai loro percorsi individuali dall'invadenza dello Stato e dei poteri pubblici. Ma se ciò è indiscutibilmente vero quando lo Stato nazionale è forte e potenzialmente intrusivo, non lo è necessariamente quando le forze dell'economia sono in grado di scavalcare la dimensione statuale dall'esterno. E da questo punto di vista siamo davanti a una situazione del tutto inedita. Oggi possiamo affermare che la "tirannia dell'economia" ha destrutturato lo stato ed esposto la società a cambiamenti violenti e non governati a un punto tale da rischiare una reazione che riporti alla ribalta democrazie illiberali e favorisca proprio quella "tirannia della maggioranza" che si voleva evitare, "ritirando lo Stato" e lasciando campo libero alla libertà economica.

Contrastare la tirannia dell'economia non vuol dire ritenere che lo Stato possa spendere illimitatamente senza avere riguardo per la stabilità finanziaria o la qualità della spesa pubblica, ma riconoscere che i tempi dei cambiamenti e il modo in cui questi cambiamenti procedono non possono essere dettati da un interesse generale internazionale sovraordinato rispetto all'interesse nazionale. Un esempio: ritenere accettabile che i paesi dell'Est Europa attraggano investimenti produttivi dall'Europa Centrale pensando che il loro sviluppo porterà naturalmente, nel lungo periodo, beneficio a tutti è un assunto economicamente corretto ma socialmente insostenibile a meno che ciò non avvenga all'interno dello stesso Stato dove esistono vincoli di solidarietà antichi e forti (e già in questo caso, in tempo di crisi, le tensioni aumentano). Stessa cosa potrebbe sostenersi per un'interpretazione estesa e assoluta della teoria delle catene globali del valore. Come abbiamo visto, questi sono stati due capisaldi della prima fase della globalizzazione. La profondità e il tempo in cui un fenomeno di integrazione economica internazionale – pur necessario e desiderabile come punto d'approdo a certe condizioni – avviene non può essere separato dalla capacità dei paesi di adattarvisi.

Ciò vuol dire, in ultima analisi, che la sostituzione dell'interesse nazionale con un "interesse internazionale" coincidente con la crescita economica globale, propugnato dalla teoria economica e dalla politica negli ultimi decenni, non è più sostenibile nella dimensione in cui ha operato sino a oggi. L'alternativa non è relegare un paese nell'autarchia e nel nazionalismo. Ma riconoscere che non esistono le condizioni culturali e politiche per il superamento dello Stato e dell'interesse nazionale. E se queste condizioni non esistono, allora occorre ridefinire il funzionamento e il perimetro dell'azione del governo e dello Stato, proteggerlo dalle influenze indebite, riportare al centro dell'obiettivo dell'azione pubblica il progresso – materiale e culturale – della società prima di poter considerare di assumere ulteriori obblighi, e i conseguenti limiti, all'azione dello Stato che provengono da una maggiore integrazione dell'economia internazionale.

Davanti ai pericoli e alle paure esiste sempre la tentazione di risvegliare un'idea di Stato "organicistica",[11] opposta a quella delle democrazie liberali, dove la tutela dei diritti viene messa in secondo piano rispetto all'unità e alla coesione per affrontare i nemici, veri o immaginari che siano. Il processo è sempre lo stesso: a) retorica sui nemici per giustificare paure e insoddisfazione; b) richiesta conseguente di maggiore coesione nazionale e patriottismo aggressivo; c) limitazione dei diritti e delle libertà come necessità "di guerra"; d) influenza diretta o indiretta sui meccanismi di voto. Lo Stato in una democrazia illiberale o totalitaria definisce, senza confronto con nessun altro corpo sociale, il bene comune e limita di conseguenza l'ampiezza dei diritti individuali, civili e politici. Lo Stato è in altre parole sovraordinato rispetto a ogni altra componente della società e a ogni diritto di libertà individuale. Per dirla con Benito Mussolini: "Per il fascista tutto è nello Stato, e nulla di umano o spirituale esiste, e tantomeno ha valore, fuori dallo Stato".

Victor Orbán ha teorizzato pubblicamente e compiutamente questo percorso: "Dichiariamo con convinzione che la democrazia Cristiana non è liberale. La democrazia liberale è liberale. Mentre la democrazia Cristiana è per definizione non liberale o se volete: illiberale".[12] Segue un lungo elenco di posizioni "illiberali" che Orbán rivendica con orgoglio. Di "cristiano" la "democrazia" immaginata da Orbán ha ben poco. La cultura, la religione, la tradizione e infine l'identità vengono distorte e strumentalizzate per conquistare e mantenere il potere demolendo lo stato di diritto. Non è cosa da poco: "Nel campo delle convinzioni e degli impegni fondamentali, lo Stato, per essere veramente lo Stato di tutti, deve restare neutrale."[13] Ciò non vuol dire che lo Stato debba promuovere la secolarizzazione – intesa come "erosione dell'influenza della religione sulle pratiche sociali e sui comportamenti individuali",[14] ma mantenere saldo il principio di laicità. Stiamo assistendo al percorso di costruzione di uno Stato illiberale ed etnico nel cuore dell'Europa. Uno Stato che è membro dell'Unione Europea, percepisce miliardi di euro di fondi strutturali che coprono gran parte dei suoi investimenti pubblici, beneficia dell'accesso al mercato unico e contemporaneamente opera contro i principali valori su cui è stata costruita l'Unione. Orbán è oggi il punto di riferimento dei sovranisti in Europa. E il fatto che i suoi interessi siano in completo contrasto con i nostri non frena il leader della Lega dal considerarlo il suo mentore europeo, appena un gradino sotto lo zar del sovranismo internazionale. E se il "realismo" in politica estera porta necessariamente a dover trattare e confrontarsi anche con chi ha valori diametralmente opposti ai nostri, certamente non si può accettare che regimi illiberali crescano dentro l'Ue, e prosperino grazie ai benefici che la partecipazione alla stessa unione garantisce.

Polonia, Ungheria, Russia, Cina ecc. rimangono destinazioni favorite di investimenti produttivi e finanziari. Il capitalismo può agevolmente convivere con i regimi illiberali. Aspettarsi che corra in soccorso di chi lo ha protetto per molti decenni – la democrazia liberale appunto – è un'illusione. La diffusione del "totalitarismo rovesciato" ovvero quella "forma politica in cui i governi vengono legittimati attraverso elezioni che hanno imparato a controllare",[15] estrema evoluzione delle democrazie illiberali, non mette in discussione il capitalismo ma ne rafforza i tratti oligopolistici. Per salvare la democrazia liberale occorre dunque che lo Stato, che lo ha avversato dalla nascita, corra ora in suo soccorso, perché il capitalismo, suo antico alleato, non lo farà.

Stato nazionale e governance internazionale

Il rafforzamento delle prerogative dello Stato nazionale trova due limiti. Il primo di natura istituzionale, ovvero gli obblighi derivanti da una fitta rete di accordi commerciali e la partecipazione alle istituzioni internazionali. Il secondo nella dinamica dei mercati internazionalizzati. Un esempio del primo limite è la difficoltà di reagire efficacemente a una delocalizzazione interna all'Ue, stanti le regole su aiuti di Stato, libertà di circolazione e stabilimento. Un esempio del secondo limite è l'effetto di un'eventuale decisione di alzare le tasse sugli utili delle imprese. La possibilità per una multinazionale di cambiare sede legale e continuare a operare sul mercato rende una decisione di questo tipo inutile e controproducente.

La prospettiva dei nazionalisti è quella di smantellare il sistema di *governance* internazionale per riguadagnare tutto lo spazio di decisione per lo Stato nazionale e conseguentemente riportare le lancette indietro di ottant'anni. Andare contro i mercati è invece un esercizio più arduo anche per un nazionalista. Prova ne è che in Italia tutte le promesse finanziariamente pericolose fatte in campagna elettorale che avrebbero scatenato una reazione dei mercati sono state abbandonate nello spazio di ventiquattr'ore. La prospettiva di un progressista deve essere differente. Le storture riconducibili a un'interpretazione ideologica ed estrema della globalizzazione vanno corrette, ma mantenendo gli strumenti di governo internazionale dell'economia, perché solo attraverso questi strumenti saremo in grado di regolare efficacemente i mercati. Senza strumenti di *governance*, il nazionalismo economico distruggerà i risultati positivi ottenuti in questi trent'anni di iperglobalizzazione senza correggerne i difetti, ma moltiplicando, al contrario, le cause di potenziali conflitti. Discorso a parte merita la questione della responsabilità finanziaria.

Il modo giusto di procedere invece in tema di concorrenza fiscale sleale è quello di costruire alleanze internazionali per correggere attraverso la regolamentazione le degenerazioni provocate dal *lassez faire* nei decenni passati. Gli strumenti esistono e la determinazione a usarli sta crescendo in tutto l'Occidente. Varare un'unica *corporate tax* per tutti i paesi europei è una priorità per Germania e Francia quanto lo è per l'Italia. E infatti questo obiettivo è già incluso nel percorso di lavoro tra i due paesi. Allo stesso modo fermare le delocalizzazioni dai paesi fondatori ai paesi dell'Est Europa è una priorità per tutti i paesi europei che hanno un'economia matura. Se un cambiamento dei trattati per includere delle clausole più stringenti risultasse impossibile, il varo di normative nazionali coordinate che prescrivano tempi più lunghi e responsabilità sulla reindustrializzazione da parte delle multinazionali che delocalizzano è un'alternativa quasi altrettanto efficace e consentita dai trattati. Se adottata contemporaneamente da tutti i grandi paesi europei vittime di delocalizzazioni non si correrà il rischio di lasciare alle multinazionali la via di fuga di scegliere lo Stato con meno vincoli.

Stesso ragionamento va fatto per ciò che concerne il commercio internazionale. Il nostro interesse prioritario è fermare fenomeni di dumping e concorrenza sleale e allo stesso tempo alzare gli standard sociali, ambientali e regolamentari in modo da coniugare gli effetti positivi per la sostenibilità e quelli di un mercato più equo ed equilibrato. In entrambi i casi occorre lavorare sulle alleanze piuttosto che pensare di poter fare da soli. Sul fronte della "difesa", ad esempio, collaborare con gli Stati Uniti in seno al Wto per levare alla Cina l'anacronistico status di paese in via di sviluppo – che le dà diritto a rilevanti deroghe – è un obiettivo importante per raggiungere il quale occorre costruire alleanze ampie. L'azione "in attacco" deve prioritariamente concentrarsi nella chiusura di accordi commerciali con paesi a un equivalente livello di sviluppo e di maturità dell'economia come Canada, Giappone e Stati Uniti. Mentre, per quanto riguarda l'oggetto degli accordi, devono rimanere esclusi tutti i settori sensibili che hanno a che fare con cultura, standard fitosanitari, servizi pubblici, diritti. Occorre dunque agire con più cautela sia nella selezione dei paesi partner, sia nella definizione del perimetro degli accordi, tenendo presente che è nella seconda fase della globalizzazione che l'investimento fatto nella prima (cessione di investimenti produttivi e posti di lavoro) finalmente inizia a ripagarsi attraverso gli acquisti della nuova classe media mondiale (le economie dei paesi emergenti completano la transizione da economie di produzione a economie di consumo). Sarebbe davvero un paradosso se proprio in questo momento l'Occidente facesse partire un'ondata di protezionismo indiscriminato. Pretendere maggior apertura da parte dei nuovi mercati a partire dalla Cina ed essere più rigorosi nel difendersi dai comportamenti scorretti è doveroso, chiudere i confini alle merci sarebbe autolesionistico.

Costruire una solida rete tra paesi democratici e allo stesso stadio di sviluppo è l'unico modo per riportare nelle mani dell'Occidente il timone della globalizzazione e definirne gli standard per il ventunesimo secolo. Il rapporto tra Stati Uniti e Ue è da questo punto di vista prioritario. Mentre scrivo queste pagine il presidente americano è passato, in pochi giorni, dal definire l'Ue un nemico a lanciare insieme al presidente della Commissione europea un progetto di accordo che vada verso l'azzeramento dei dazi tra i due mercati. Sulla carta un simile progetto porta un vantaggio lievemente superiore agli Stati Uniti, in quanto i dazi europei sono più elevati di circa un punto percentuale (come ho scritto precedentemente la differenza è molto superiore nel settore dell'automobile). Va però considerato che il deficit commerciale americano con l'Europa è di circa 150 miliardi. Un accordo sui dazi favorevole agli Stati Uniti mi sembra del tutto giustificabile.

Riguadagnare spazio di manovra per le politiche pubbliche e correggere gli errori della prima fase della globalizzazione richiede dunque un lavoro nelle organizzazioni internazionali e a livello bilaterale. Lo Stato nazionale nella sua declinazione progressista deve preservare la stabilità del sistema di *governance* economica internazionale, non pretendendo però di sostituirla al governo nazionale. Per trent'anni abbiamo pensato che la *governance* (internazionale) potesse sostituire lo Stato. La *governance* implica che la regolamentazione emerga dalle raccomandazioni di organizzazioni e istituzioni internazionali. Da questo punto di vista quando la *governance* vuole sostituire lo Stato ponendo l'interesse internazionale, così come identificato da strutture tecnocratiche, sopra l'interesse nazionale si crea indiscutibilmente una frattura democratica. "Come osservava Robert A. Dahl, unità più grandi sono ovviamente più lontane dai loro cittadini, ma sono in una posizione migliore per far fronte alle pressioni globali a vantaggio dei loro cittadini. C'è uno scambio importante tra la partecipazione dei cittadini e l'efficacia del sistema."[16] Uno scambio ma anche un equilibrio che deve essere mantenuto o ripristinato. Riportare la *governance* internazionale nel suo alveo naturale e correggere le anomalie che ha prodotto è compito degli Stati. Vale la pena ricordare che Cina, Turchia, Russia il problema della sovraordinazione della *governance* internazionale alle prerogative dello Stato nazionale non se lo sono mai posto. Per questo mantenere e rafforzare la solidarietà e la coesione dell'Occidente rimane un obiettivo prioritario dell'interesse nazionale di tutti i paesi occidentali, se vogliamo rinnovare il sistema di *governance* internazionale rendendolo più aderente ai nostri interessi nazionali.

Costruire un ordine internazionale liberale riformato

L'inversione di tendenza nella liberalizzazione degli scambi e la "contrazione delle libertà civili e politiche nel mondo" in atto dal 2005, indicano che il sistema delle relazioni internazionali ordinato secondo i principi liberaldemocratici è in crisi. Russia e Cina, in modi e forme molto diverse, stanno apertamente sfidando la leadership dell'Occidente e i pilastri dell'ordine internazionale liberale. È inevitabile che la distribuzione del potere, e dunque anche l'influenza sul disegno del sistema delle relazioni internazionali, cambi con la crescita economica e tecnologica dell'Asia. L'obiettivo è comprendere la traiettoria e il punto di equilibrio finale (e se ce ne sarà uno) di questo cambiamento. La competizione tra potenze "vecchie e nuove" porterà a uno scontro o a un aggiustamento dell'attuale sistema di relazioni economiche e politiche internazionali? Costruire un "ordine liberale riformato" vuol dire dunque in primo luogo non pregiudicare quanto di positivo ha prodotto la prima fase della globalizzazione, salvaguardando le istituzioni e i fori internazionali che costituiscono un'importantissima rete di contatto e gestione delle controversie commerciali e di armonizzazione (volontaria) delle politiche nazionali. Condizione necessaria è che: "Gli Stati Uniti non perdano la preminenza che hanno, e accettino alcune trasformazioni delle istituzioni da essi create dopo il 1945 per consentire a potenze emergenti come la Cina di diventare partner effettivi e cooperanti".[17] La possibilità di costruire quest'ordine risiede dunque in primo luogo nella determinazione degli Stati Uniti a mantenere un forte impegno internazionale e in secondo luogo nella decisione degli attori emergenti, la Cina prima di tutto, di non voler direttamente sfidare l'America per diventare la potenza egemone del ventunesimo secolo. Questo nuovo equilibrio di poteri e interessi è oggi la migliore evoluzione possibile dello scenario internazionale ma presuppone una compattezza dei paesi occidentali e dei loro alleati asiatici. Il rapporto transatlantico deve rimanere dunque il pilastro fondamentale della politica estera tanto dei paesi dell'Ue quanto degli Stati Uniti. In quest'ambito rientra anche la necessità per i paesi europei di partecipare di più alle spese per la difesa in ambito Nato. Del resto il progetto di difesa comune è una delle direttrici dove i progressi nell'integrazione europea sono possibili e auspicabili. Non sarà facile, il ruolo degli Stati Uniti, come guida e collante dell'Occidente, è cambiato radicalmente, in particolare nel rapporto con l'Europa e con il Medio Oriente. Non è solo l'effetto di Trump ma dell'azione di fattori più profondi di cui abbiamo già parlato. Intanto però in Siria e in Iraq il mondo musulmano sta vivendo la sua Guerra dei trent'anni. Sciiti e sunniti si confrontano in un teatro che è destinato a diventare sempre più ampio e instabile. Esattamente come accadde nel Seicento in Europa, il conflitto non fa che allargarsi, coinvolgendo potenze esterne (Turchia, Iran, Arabia Saudita ed Egitto in primis) e contribuendo a destabilizzare tutte le aree di prossimità a partire dal Nordafrica con potenziali ricadute devastanti per l'Europa in termini di flussi migratori.

La Russia nel frattempo ha perso ogni aggancio con l'Europa e l'Occidente ed è tornata a fare una aggressiva e spregiudicata politica di potenza. A Putin si ispirano Orbán, Salvini e Le Pen. Da Putin essi hanno ottenuto sostegno, probabilmente non solo ideologico. Esiste una chiara strategia di destabilizzazione dell'Occidente e delle democrazie liberali portata avanti dalla leadership russa. Ma le ambizioni egemoniche russe si scontrano con un limite invalicabile:

possono contribuire a distruggere l'ordine internazionale liberale ma non a crearne uno nuovo. Nessun cittadino occidentale vorrebbe vivere in Russia. Il fascino della leadership russa si limita alla diffusa percezione di una forza che in realtà non possiede e ai suoi (instabili?) successi in campo internazionale, ma non ai risultati che questa leadership ha prodotto nel proprio paese. La Russia è uno dei paesi più diseguali del mondo dal punto di vista della distribuzione del reddito e della ricchezza: "Con l'87% della ricchezza concentrata nelle mani del 10% dei cittadini più ricchi del paese. Quanti tra gli operai sostenitori del Front National [o della Lega, NdA] vogliono applicare questo modello distributivo della ricchezza in Francia [o in Italia, Nda]?"[18]. All'aggressione russa occorre rispondere con fermezza e unità. Aprire canali di dialogo è possibile e auspicabile, ma le intromissioni russe all'interno dei nostri sistemi politici devono prima di tutto cessare. Ritengo che al netto degli sbandamenti del presidente americano, l'Europa potrà contare sull'alleanza con gli Stati Uniti nel contenimento della Russia; un obiettivo che rimane, nonostante tutto, una costante priorità strategica della politica estera americana. Quest'asse va rafforzato: un'Unione Europea isolata e divisa sarebbe un facile bersaglio per le politiche di destabilizzazione del governo russo. Anche in questo caso gli atteggiamenti ambivalenti dei tedeschi contribuiscono a minare la credibilità dell'Unione. Votare le sanzioni alla Russia e fare contemporaneamente accordi per raddoppiare il gasdotto Nord Stream che taglia fuori l'Ucraina e Europa del Sud è la manifestazione di un opportunismo che mette a rischio la costruzione europea. Vale la pena di ricordare che il presidente del consorzio Nord Stream è l'ex cancelliere tedesco Gerhard Schröder diventato nel tempo amico e sodale di Putin. In ogni caso va rapidamente ridotta la dipendenza dal gas russo, che rappresenta una pistola puntata al cuore dell'Europa. L'Italia può avere un ruolo fondamentale diventando l'hub del gas proveniente dal Mediterraneo e dall'Africa. I gasdotti Tap (in costruzione) e Eastmed (in progettazione) compongono un interesse strategico fondamentale europeo oltre che italiano. Il possibile inasprirsi della crisi con la Russia determinerebbe un rischio per le forniture di gas a cui occorre rispondere, oltre che con l'apertura di nuove rotte, con lo sviluppo di rigassificatori e il mantenimento in stato di conservazione, con possibile richiamo in esercizio in caso di emergenza, della capacità di produzione elettrica a carbone.

L'Europa si colloca dunque al centro di un'area di crisi geopolitica potendo contare sempre meno sul suo tradizionale alleato concentrato, già a partire dall'amministrazione Obama, sul Pacifico e sul confronto con la Cina. Mentre la Gran Bretagna fuori Ue rischia di diventare una sorta di grande Singapore – sempre più condizionata dai capitali finanziari e dunque meno indipendente in politica estera –, è in atto da tempo uno slittamento dell'Europa verso la Cina come punto di riferimento sui temi della *governance* mondiale (commercio e ambiente soprattutto). Questa è una trappola pericolosa in cui stiamo cadendo per l'effetto combinato degli interessi tedeschi, della presenza di un diffuso antiamericanismo nell'opinione pubblica europea (da ben prima dell'arrivo di Trump) e dall'approccio caotico ma fondamentalmente ostile di Trump nei confronti dell'Ue. Non è la strada giusta. La nuova leadership cinese ha un'impronta più aggressiva rispetto al passato, che si dispiegherà pienamente al compimento del processo di un *build up* militare e tecnologico che procede a ritmi forzati. Ciò ovviamente non significa non perseguire un dialogo aperto e costruttivo con la Cina che, anzi, nel contesto di un ordine liberale riformato, deve essere coinvolta e riconosciuta come grande potenza mondiale. Ma scegliere di costruire un'alleanza strategica con Pechino in sostituzione di quella con gli Stati Uniti non rifletterebbe i nostri interessi strategici. Volente o nolente la politica estera dell'Ue e degli Stati membri dovrà poi abbandonare rapidamente un approccio "leggero" e idealista, diventato anacronistico. In particolare nel rapporto con i nostri turbolenti vicini sarà inevitabile improntare la nostra politica estera a un realismo più adatto ai tempi. Vale per la Turchia così come per l'Egitto. In entrambi i casi parliamo di sistemi illiberali da cui dipende però la stabilità di una regione cruciale per gli interessi europei. Isolarli, o peggio farne degli avversari sulla base di una differenza di valori, sarebbe un grave errore. La nostra capacità di proiezione internazionale è al momento estremamente ridotta. E in politica estera forza (politica, ideale, economica e militare) e obiettivi devono andare di pari passo. Concentrare gli sforzi sulla stabilizzazione e la crescita dell'Africa e del Mediterraneo, un obiettivo difficile ma alla nostra portata, è di gran lunga la scelta più saggia. L'implementazione integrale del Migration Compact dovrebbe essere oggi il principale obiettivo/strumento di politica estera dell'Ue.

La (de)costruzione europea

I progressi nella costruzione europea sono, nel futuro prossimo, difficilmente conseguibili come frutto di un processo di riforma dei trattati. Vi è una divaricazione di interessi e modelli politici sempre più netta tra gli stati membri. In special modo tra il nucleo dei paesi fondatori allargati e i paesi di Visegrád.[19] Vorrei essere chiaro su un punto: la responsabilità sul falli-mento nei progressi della costruzione europea è prima di tutto degli stati membri. Il lavoro della Commissio-ne e anche del Parlamento a favore della costruzione di politiche comuni è stato costantemente boicottato e se-questrato dall'incapacità dei paesi europei di spiegar-lo, appoggiarlo e rappresentarlo presso le pubbliche opinioni nazionali. La rappresentazione di una tecno-crazia europea che ha distrutto il sogno dell'Europa unita non corrisponde a quello che ho potuto osserva-re in cinque anni di partecipazione ai lavori dei consi-gli di commercio, competitività, energia. Al contrario, la Commissione europea è sempre stata estremamen-te prudente nel ricercare soluzioni accettabili per le pubbliche opinioni nazionali. Lo stesso non si può di-re per i grandi paesi europei che hanno cercato di estrarre tutti i benefici possibili dall'Europa, contem-poraneamente scaricando su di essa tutte le colpe dei fallimenti nazionali. La Germania in primo luogo ha rinunciato da anni al ruolo di paese guida, limitando-si a sfruttare tutti i benefici possibili da una costruzio-ne europea fatta su misura per i suoi interessi finanzia-ri, economici e commerciali "L'egemonia riluttante"[20] tedesca è stata in realtà una "leadership dei veti" che ha contribuito a paralizzare l'Europa e a provocarne una crisi forse irreversibile. Le responsabilità storiche tede-sche da questo punto di vista sono innegabili. Surplus commerciale fuori controllo, regole sulle banche vara-te dopo l'intervento tedesco per salvare le proprie, il tentativo, ancora in corso, di "pesare" i titoli di Stato nei bilanci di banche e assicurazioni, mantenendo be-ninteso fuori dalla vigilanza sui requisiti patrimoniali tutti i derivati spazzatura di cui le principali banche tedesche sono zeppe, il voltafaccia sull'assicurazione europea sui depositi, la costruzione di un set di regole finanziare tanto barocco quanto inutile, la spregiudicatezza sui dossier di politica commerciale; la Germania ha dimostrato chiaramente di non aver a cuore l'interesse nazionale europeo ma solo quello tedesco. Le condizioni di politica interna tedesca non lasciano presagire nulla di buono in termini di cambiamento di atteggiamento per gli anni a venire.

Allo stesso tempo i progetti di rifondazione dell'Europa di Macron si sono rapidamente scontrati con l'immobilismo tedesco e con una situazione interna francese che gli è sempre meno favorevole. L'idea del presidente francese di un movimento politico sovrannazionale unico che si presenti alle prossime elezioni europee mi sembra una strada non praticabile. Un movimento così concepito avrebbe un leader "straniero" che nessun cittadino non francese sarebbe pronto ad accettare. Interessante è invece il ragionamento sulla ricomposizione dei gruppi parlamentari europei dopo le prossime elezioni continentali superando le attuali divisioni sempre meno attuali. Inevitabilmente socialisti, liberali e forse anche una parte dei popolari si troveranno a dover contrastare un fronte di nazionalisti antieuropei sempre più forte. La costituzione di un gruppo unico di europeisti opposto alle forze che vogliono un'Europa sempre più debole potrebbe essere una soluzione obbligata. Del resto anche a livello nazionale le linee di separazione tra i partiti si vanno ridefinendo in questo modo.

Nel medio periodo i soli progressi strutturali possibili nella costruzione europea sono quelli relativi alle politiche che si dispiegano nella dimensione esterna: sicurezza, difesa, commercio, migrazioni (esclusivamente nella dimensione esterna del Migration Compact), frontiere comuni. In questi ambiti vi è un coincidente interesse degli stati membri. Il che non garantisce, come abbiamo visto nel caso del Migration Compact, un esito pienamente soddisfacente, ma almeno esistono le premesse per provarci. Vi sono poi le politiche attinenti al completamento del mercato unico, rispetto alle quali non si riscontrano distanze ideologiche o culturali tra paesi membri, che potranno portare vantaggi importanti alle imprese europee. L'attività di contrasto ai comportamenti illegittimi dei grandi monopoli digitali della commissaria Verstager – il commissario di gran lunga più capace del gabinetto Juncker – è di fondamentale importanza per ripristinare le regole del mercato.

C'è un modo in cui la costruzione europea riuscirà, al di là delle politiche menzionate, fare ulteriori passi avanti? Un tentativo potrà essere fatto solo da (e tra) i paesi fondatori allargati, e in particolare Germania, Francia, Italia e Spagna. Se mai un'Europa più unita vedrà la luce non sarà quella attuale. La frattura con i paesi di Visegrád è insanabile per molte ragioni. Anche culturali. Come ebbe modo di spiegarmi il brillante rappresentante ungherese presso l'Ue, il suo paese ha vissuto cinquant'anni di totale isolamento e sottomissione a una potenza straniera. La predisposizione ad accettare le diversità e la devoluzione di prerogative nazionali è – anche comprensibilmente – bassa, mentre l'attaccamento all'identità nazionale ed etnica "tradizionale" è forte e irrinunciabile. L'evoluzione di Polonia e Ungheria verso forme di democrazia illiberale, il rifiuto a condividere responsabilità – come nel caso dei migranti – con gli altri paesi e l'utilizzo dei fondi strutturali anche per attrarre illegittimamente investimenti dai nostri Stati rende la partecipazione di questi paesi alla costruzione europea impossibile. Per questo va promosso un percorso di lavoro e coordinamento delle politiche nazionali ed europee tra i grandi paesi fondatori allargati. È necessario costituire un "Gruppo di Roma", per rivendicare il luogo di nascita dell'Europa, opposto al Gruppo di Visegrád, che inneschi operativamente il nocciolo duro della futura Europa federale, anche portando avanti politiche industriali comuni nei settori della difesa e dell'alta tecnologia. Può essere che questo percorso sia difficile o persino impossibile, ma non ci sono alternative. Se il clima di sfiducia non verrà debellato almeno tra un nucleo più piccolo e omogeneo di paesi, le istituzioni dell'Unione poco potranno fare per far avanzare l'Europa. Ciò non vuol dire abbandonare il lavoro nelle istituzioni europee, che deve continuare sulle direttrici, limitate, che ho prima menzionato, ma affiancarvi un percorso intergovernativo che superi un sistema di riforma dei trattati destinato alla paralisi infinita. E dobbiamo muoverci presto, perché la prossima crisi finanziaria o geopolitica (migratoria o bellica) rischierà di essere l'ultima per l'Europa. Senza gli Stati Uniti a coprirci le spalle la nostra capacità di reazione e di tenuta si è enormemente affievolita. D'altra parte non è seguendo l'attendismo tedesco che i partiti pro-Europa riguadagneranno forza all'interno dei propri Stati. Al contrario, un'Europa debole offre il fianco all'attacco dei sovranisti molto più di un progetto che riprende il cammino sia pure su un sentiero diverso.

2.
Costruire una democrazia progressista

Obiettivi e valori di una democrazia progressista

Gli obiettivi complementari e inscindibili di una democrazia progressista sono la tutela dei diritti individuali e il potenziamento dell'uomo e della società attraverso l'opera dello Stato (rinnovato) e della comunità. Ricostruire uno Stato forte e assertivo nelle capacità di incidere sulla realtà, impegnato direttamente nella gestione delle trasformazioni, nel potenziamento dell'uomo oltre che della tecnica, che assuma una prospettiva "sociale" anziché esclusivamente economica, rappresenta lo strumento cardine di una "democrazia progressista". Il recupero del valore della conoscenza, dell'equità e del civismo princìpi ordinatori della società e la centralità della comunità sono i valori da promuovere e diffondere.

L'impianto della democrazia liberale – tutela dei diritti individuali, della libertà economica e dello stato di diritto – rimane il fondamento della democrazia progressista. Ma il punto di equilibrio tra ruolo dello Stato e del privato, tra comunità e individuo, tra diritti e doveri, tra efficienza e giustizia, tra democrazia e *governance* deve essere spostato, rispetto alla democrazia "liberista" degli ultimi trent'anni, in modo da trovare un assetto più forte e coeso per affrontare in sicurezza tempi più duri e cambiamenti più dirompenti. L'idea di progresso è quella espressa da John Stuart Mill nella prefazione ai *Principi di economia politica* (aggiunta alla terza edizione del 1852): "Sembra a chi scrive che lo scopo principale del progresso sociale dovrebbe essere quello di preparare, attraverso l'educazione, l'umanità a uno stato sociale che unisca, alla massima libertà personale, quella giusta ed equa distribuzione dei prodotti del lavoro che le attuali leggi sulla proprietà sembrano trascurare del tutto". Di conseguenza gli indicatori di sviluppo sostenibile (SDGs), e l'andamento del "capitale sociale", vanno posti a fondamento e monitoraggio dell'azione di governo. Le variazioni di questi indici, devono diventare parte integrante dei documenti di pianificazione finanziaria e di budget dell'esecutivo. Nel caso dei paesi europei va fatta una battaglia affinché questi indicatori vengano affiancati a quelli economici nella valutazione della performance ai fini del patto di stabilità e crescita.

All'identità immobile e ostile dei nazionalisti va opposta poi un'idea di "patriottismo inclusivo,"[1] capace di coniugare il bisogno di punti di riferimento culturali e identitari alla natura evolutiva di una società liberale. La comunità, o le comunità nelle varie forme, e le istituzioni repubblicane sono il collante di questo patriottismo inclusivo. Al contrario i nemici, esterni e interni, e la tradizione (intesa nel senso di chiusura al cambiamento e identità etnica) sono quelli del nazionalismo e dei sostenitori delle democrazie illiberali. Non si tratta di affermare una fede cieca e ideologica nel progresso, ma di definire i contorni del progresso che vogliamo, mettendoli in relazione all'identità nazionale. Un'identità in evoluzione costante, non ibernata dalla tradizione ma neanche calata dall'alto come frutto del pensiero accademico o tecnocratico. Ciò non vuol dire proporre un'identità debole o peggio considerare il patriottismo come un anacronistico residuato del Novecento. Educare i cittadini a riconoscere l'importanza dei valori dello stato di diritto, delle libertà e del proprio percorso storico e culturale è fondamentale per preservare un'identità che è inclusiva, se impostata in questo modo, per definizione. I progressisti hanno invece spesso e volentieri dato il senso di considerare persino con vergogna l'idea stessa di identità e di patria.

Un discorso specifico merita la questione del rapporto tra identità e religione. Come abbiamo visto in Russia e Turchia, ma anche in Ungheria e Italia (da parte della Lega), l'appartenenza alla religione maggioritaria torna a essere per i sovranisti un ancoraggio forte all'identità, contro i diversi neutralismi dello stato laico liberal-pluralista e dello stato laico repubblicano,[2] che apre la strada al multiculturalismo. Orbán, Putin, Erdogan eliminano il principio di neutralità dello Stato rispetto alle convinzioni filosofiche, morali e religiose, come completamento di un progetto di Stato che tende a limitare diritti in nome di una maggiore unità politica, etnica, culturale e religiosa. Ciò è fatto in primo luogo per escludere la possibilità di vera integrazione degli immigrati residenti (o cittadini di origine straniera), e in secondo luogo per rassicurare la popolazione riguardo il mantenimento del patrimonio storico-religioso che è parte fondamentale dell'identità nazionale.

Quale punto di vista deve adottare una democrazia progressista rispetto a questo delicato punto che tocca libertà individuale e identità? Va ovviamente respinto ogni tentativo di mettere in discussione la laici-

163

tà dello Stato come: "Laicità aperta che riconosce la necessità che lo Stato sia neutrale – le leggi e le istituzioni pubbliche non devono favorire nessuna religione o concezione secolare – ma riconoscere anche l'importanza che molti attribuiscono alla dimensione spirituale dell'esistenza e pertanto l'importanza di tutelare la libertà di coscienza e di religione degli individui".[3] In una democrazia progressista lo Stato non ha l'obiettivo di secolarizzare la società ma di garantire che ognuno possa trovare il suo percorso di vita in accordo con le proprie convinzioni religiose o filosofiche. Aggiungo che proprio la necessità di rafforzare i vincoli sociali e comunitari e di potenziare l'uomo, richiede che particolare cura venga messa da parte dello Stato nel favorire tutte quelle esperienze e attività, spirituali e filosofiche, che aiutano le persone nella costruzione della loro personale ricerca di un "senso".

Più complesso il rapporto con la religione maggioritaria e il mantenimento del patrimonio storico-religioso. La mia opinione è che questa particolare esigenza vada tenuta in considerazione. La lotta ai simboli della tradizione religiosa (finanche il presepe) o addirittura alle feste religiose è percepita come una forma di assurdo estremismo dalla maggior parte dei cittadini. Accogliere la diversità e rispettare la libertà di coscienza altrui non vuol dire perdere la propria identità e le proprie tradizioni. "Misure di accomodamento" rispetto al principio di laicità e neutralità vanno trovate anche quando sono le altre religioni a reclamare una tolleranza verso simboli religiosi nello spazio pubblico. Ovviamente con il limite invalicabile del rispetto delle norme del paese.

L'evoluzione dell'identità non passa per l'annullamento dell'identità e soprattutto non può essere imposta per legge o per moda. Questo processo è lento, faticoso e molto delicato. Lo stesso tipo di ragionamento va fatto quando si parla di rapporti umani e famiglia. Riconoscere pari diritti a LGBT e proteggerli da ogni discriminazione è parte integrante del patrimonio di una democrazia liberale, insegnare a scuola che non esistono i sessi con le loro peculiarità (la cosiddetta "teoria no gender") è sbagliato e disumanizzante. Uomo e donna hanno differenze che vanno rispettate, perché si arricchiscono a vicenda, nella sfera culturale, ma che vanno invece combattute senza tregua quando, come spesso ancora accade, si traducono in minori opportunità di sviluppo umano derivanti dal pregiudizio o dai maggiori carichi di responsabilità famigliare. Progredire non vuol dire disumanizzare. Disumanizzante è ad esempio la pratica dell'utero in affitto che contribuisce a distruggere il valore della maternità. Può essere che tra cent'anni il sesso, la famiglia, la maternità diventeranno ininfluenti culturalmente, ma questa evoluzione non è scontata e comunque non può essere in alcun modo calata dall'alto da un'élite di "illuminati". Ancora una volta gestire le transizioni è la chiave per un progresso armonico dell'identità e dei costumi contro le visioni ideologiche e le utopie moderniste.

Il modo superficiale e spesso violento con il quale i progressisti hanno cercato di trasformare o archiviare identità, cultura, religione, patria, famiglia, sesso è un sintomo di fragilità nell'elaborazione culturale e di arroganza intellettuale che ha largamente contribuito alla "sconnessione sentimentale" con la maggioranza della popolazione. I cittadini non si sono solo sentiti traditi sul piano della giustizia sociale ma anche su quello ben più profondo dell'identità. Disumanizzando il progresso abbiamo offerto una straordinaria opportunità alla deriva nazionalista per aprire le porte a un regresso generale della nostra società.

Sul piano internazionale l'impegno per la costruzione di un ordine liberale riformato, attraverso il rafforzamento del rapporto tra paesi che condividono valori, sistemi politici ed economici e la correzione di rotta su globalizzazione e mercati, di cui ho scritto nel precedente capitolo, rappresenta il complemento necessario al progetto di fondazione di una "democrazia progressista" sul piano nazionale. Idealisti in politica interna per cambiare completamente il nostro modello di sviluppo, e realisti in politica estera per tenere in sicurezza i nostri Stati in un mondo più duro e conflittuale, queste sono le prospettive, diverse ma complementari, che le democrazie occidentali dovrebbero seguire.

Cerchiamo ora di definire gli obiettivi e i limiti dell'azione dello Stato in una "democrazia progressista".

Potenziare l'uomo e la società

Dalla drastica diminuzione dei livelli di analfabetismo funzionale dipende la sopravvivenza delle democrazie liberali. Scriveva Giovanni Sartori: "La democrazia è un'apertura di credito all'*homo sapiens*, a un animale abbastanza intelligente da saper creare e gestire da sé una città buona. Ma se *l'homo sapiens* è in pericolo, la democrazia è in pericolo".[4] Per questo è necessario che lo Stato assuma come suo obiettivo fondamentale il fatto che l'uomo rimanga *sapiens* e non divenga *insipiens*, secondo la definizione dello stesso Sartori. Nella famiglia contemporanea il tempo dedicato ai figli è per definizione condizionato dall'impegno lavorativo di entrambi i genitori. Occorre instaurare il tempo pieno in ogni scuola fino alla fine della scuola secondaria e uno Stato che si prenda cura di bambini e ragazzi fino al rientro a casa dei genitori. Avvio alla lettura (anche dei giornali), lingue, sport, introduzione all'arte e alla bellezza, educazione civica devono diventare parte integrante del processo educativo. La vecchia definizione del welfare che assiste "dalla culla alla tomba" oggi si deve leggere come diritto all'educazione e alla formazione continua: "Dalle favole agli algoritmi". Una vera e propria "istruzione di cittadinanza" che segua tutti i bisogni educativi e poi formativi dei cittadini. Ciò vuol dire che lo Stato deve offrire istruzione a un costo appropriato a tutti i bambini e ai ragazzi dall'asilo nido fino all'educazione postuniversitaria. Un processo di formazione continua e avvio al lavoro deve accompagnare gli adulti nella vita lavorativa e affiancarsi, fin dall'educazione secondaria, al percorso di studio dei ragazzi. L'educazione alla bellezza deve tornare a essere uno degli obiettivi delle nostre società a partire dalla prima infanzia. Contemporaneamente, e fino a che il cambiamento degli stili di consumo conseguente all'innalzamento del livello medio di cultura non assicurerà la sostenibilità del mercato degli eventi, dei prodotti e delle iniziative culturali, questi andranno agevolati finanziariamente sia dal lato dell'offerta che da quello della domanda. Cicli di studio e corsi di lingue all'estero devono essere finanziati dallo Stato mentre un vasto programma di borse di studio, comprendente i costi di permanenza in città diverse da quelle di origine, deve essere sostenuto dal pubblico e cofinanziato dalle aziende attraverso strumenti di deducibilità fiscale. La scuola deve diventare il luogo dove viene ripristinato il valore dell'autorità, del senso civico e la fiducia nella competenza. La partecipazione delle famiglie alla vita degli istituti scolastici non può tradursi in uno svilimento dell'autorità dell'insegnante. Gli esami devono tornare a essere "veri" momenti di valutazione della condotta e del profitto dei ragazzi. Corsi di supporto pomeridiano, tenuti nelle scuole, devono essere dedicati a chi rimane indietro. L'autonomia degli atenei, pubblici e privati, è da incentivare e così il rapporto (non la subordinazione) con il privato. Stipendi di insegnanti, ricercatori e professori devono essere aumentati in cambio dell'accettazione di un meccanismo stringente di verifica dei risultati e di possibilità di "chiamata" di professori anche dall'estero. Infine, poli universitari e di ricerca di eccellenza nelle materie umanistiche e scientifiche devono essere dotati di statuti e modelli di funzionamento adeguati per competere a livello internazionale nell'attrattività dei talenti.

Se la società del talento e della conoscenza sostituirà nel tempo quella del lavoro manuale e della produzione, questa trasformazione deve iniziare oggi e deve diventare la missione dei paesi occidentali, con la consapevolezza che un cambiamento di tale portata dovrà coinvolgere l'intera popolazione e non solo un numero limitato di studenti fortunati provenienti in larga parte da famiglie abbienti. Per abbassare i livelli di analfabetismo funzionale ci vorranno anni. E tuttavia l'effetto di ristabilire fiducia nella possibilità di affrontare con successo il futuro potrebbe essere quasi immediato. Avere la certezza che lo Stato assume come missione fondamentale quella di dare ai nostri figli strumenti culturali adeguati, cambia immediatamente la percezione del futuro e contribuisce a ricostruire un rapporto di fiducia tra istituzioni, politica e cittadini. Nell'obiettivo di potenziare l'uomo e la società rientra il lavoro immenso che resta da fare per assicurare alle donne uguali opportunità di partecipazione alla vita economica, sociale, politica. In particolare in Italia tutti gli indicatori in questo ambito ci collocano agli ultimi posti tra i paesi avanzati. Se in tutto l'Occidente le fratture tra vincenti e perdenti sono soprattutto geografiche e sociali, in Italia (e non solo) rimangono anche fortemente legate al genere.

Lo Stato deve riconoscere poi il ruolo fondamentale e insostituibile dei corpi intermedi per gestire la trasformazione della società e ricostituire il senso di comunità in un mondo troppo individualizzato. L'associazionismo va favorito e supportato a ogni livello. Associazioni di impresa, sindacati, associazioni culturali, del terzo settore, movimenti civici, laici e religiosi vanno valorizzati e se possibile coinvolti nei processi decisionali e implementativi dell'azione pubblica. Condivisone non significa, però, paralisi decisionale: per questo il processo di coinvolgimento deve essere regolato e le regole accettate dai corpi intermedi. Allo stesso tempo queste associazioni vanno rese trasparenti e democratiche nei propri meccanismi interni di funzionamento. Va definito uno stringente codice di condotta che vigili su conflitti di interesse, irregolarità finanziarie, diffusione di *fake news*. Per introdurre i giovani all'impegno civico deve essere previsto un semestre di servizio civile obbligatorio e remunerato da svolgersi all'interno della pubblica amministrazione o di un'associazione riconosciuta che abbia finalità civiche e assistenziali.

Stato ed economia: equità, protezione e investimenti

Lo Stato deve assicurare che la crescita economica sia accompagnata (e non seguita) dal contenimento delle diseguaglianze. Questo comporta mettere in atto incisive politiche redistributive, fiscali e di welfare per assicurare una drastica e rapida diminuzione degli squilibri. L'idea che la crescita economica sia sufficiente a ridurre le diseguaglianze non trova corrispondenza in quanto accaduto negli ultimi trent'anni.

Se la crescita è senz'altro condizione necessaria, non può essere però considerata sufficiente. Priorità nella destinazione delle risorse va data a lavoro, investimenti e welfare piuttosto che rendite, patrimoni e capitale. In particolare la tassazione sulla casa, che vale oggi solo il 6% degli incassi governativi,[5] va rivista per i ceti più abbienti e per gli immobili di pregio. Tagli generalizzati e indiscriminati della tassazione, tanto più se si concretizzano in modelli intrinsecamente ingiusti come la *flat tax*, non devono essere perseguiti. L'evasione e l'elusione fiscale, già inaccettabili in tempi normali, diventano un "crimine contro la società" in tempi di scarsità di risorse e diseguaglianze. Come tali vanno perseguite, anche prevedendo sanzioni penali più severe. Ci sono oggi tutti i mezzi tecnologici – banche dati e sistemi di tracciatura delle transazioni – per identificare evasori ed elusori. I livelli elevatissimi di evasione, dunque, sono frutto in massima parte della mancanza di volontà politica di contrastarli. L'eliminazione del contante e la fatturazione elettronica sono, anche per questa ragione, una priorità. Il dumping fiscale delle multinazionali va fermato con un accordo internazionale. È inaccettabile che, secondo stime riportate dall'"Economist", il 40% dei profitti delle multinazionali venga dirottato su paradisi fiscali, se non di nome, di fatto. Allo stesso modo ulteriori significative riduzioni delle tasse aziendali contribuiscono a costruire diseguaglianze. Sempre l'"Economist" riporta come l'abbassamento delle tasse sul capitale abbia trasferito dal 1975 a oggi 2000 miliardi dalle tasche dei contribuenti a quelle degli investitori. E a questo proposito un aumento della tassazione sulle rendite finanziarie è auspicabile. Va poi applicata, fino al raggiungimento di un accordo internazionale sulla materia, anche solo a livello nazionale, una *web tax* sul fatturato conseguito sul mercato dai monopoli digitali.

Occorre in buona sostanza fare il cammino inverso rispetto a quello compiuto nei decenni passati. Le risorse vanno usate per rilanciare investimenti pubblici e privati, materiali e immateriali, ammortizzatori sociali, diminuire il costo del lavoro e per alleggerire le aliquote per i cittadini meno abbienti. Va poi incentivata la partecipazione dei lavoratori al capitale e alla *governance* delle aziende, sia attraverso *stock option* per i singoli lavoratori, sia attraverso la costituzione di associazioni di lavoratori a cui attribuire specifiche categorie di azioni acquisibili anche ricorrendo a prestiti agevolati. La retorica della società degli azionisti che è servita a giustificare per un trentennio i cospicui tagli fiscali su capitale e strumenti finanziari, beneficiando però solo i ricchi, deve trovare un riscontro prima di tutto nel rapporto tra lavoratori e capitali delle aziende.

Lo Stato non deve intervenire direttamente nell'economia attraverso nazionalizzazioni e ampliamento del perimetro delle aziende pubbliche. Un'efficace regolamentazione e investimenti privati possono assicurare l'interesse pubblico meglio di un'impresa pubblica esposta all'influenza della politica. Lo Stato deve intervenire direttamente solo laddove a un fallimento di mercato sia associata la necessità di tutelare l'interesse pubblico. Ciò vale anche quando le distorsioni del mercato globale colpiscono lavoratori e asset produttivi. Quest'ultimo caso va assimilato, anche dal punto di vista della normativa europea sugli aiuti di Stato, a un caso di fallimento di mercato "classico". Il tema delle delocalizzazioni va dunque inquadrato in questa fattispecie. La valorizzazione del patrimonio pubblico ha ampi margini di miglioramento. A partire dalle concessioni pubbliche che vanno rese trasparenti, competitive (gare) e remunerative. Per comprendere quale sia l'entità degli indebitamenti in questi ambiti basti pensare che lo Stato italiano da tutte le concessioni balneari che esistono su 7500 chilometri di costa ricava 100 milioni di euro. I grandi monopoli naturali rappresentano un caso a parte. In questi casi lo Stato può mantenerne la gestione a condizione di averne le competenze in alternativa va restrittivamente regolato il tasso di rendimento del capitale investito per evitare indebiti arricchimenti dove il rischio di impresa è prossimo allo zero. La concorrenza va incoraggiata come importante elemento di equità e giustizia. Vanno tuttavia tutelati i piccolissimi imprenditori rispetto ai grandi investitori. Non possiamo sostenere la necessità che i lavoratori dipendenti divengano sempre più degli "imprenditori" quando conviene alle grandi aziende, e allo stesso tempo privare dei mezzi di sostentamento il piccolo imprenditore per ridurlo a lavoratore precario di una multinazionale. I monopoli digitali vanno combattuti sia dal lato dell'abuso di posizione dominante (ad esempio per quanto riguarda il potere di mercato che viene esercitato nell'intermediazione) sia per ciò che concerne la possibilità di usare i dati degli utenti per entrare in business diversi da quelli per i quali l'utente ha lasciato i suoi dati. Il monopolio sui dati va sconfitto e il loro uso disciplinato nelle forme più stringenti. Il ragionamento sui beni pubblici (beni che hanno una funzione pubblica da non confondere con i beni di proprietà del pubblico) va esteso alle nuove tecnologie. I beni pubblici digitali possono avere una funzione che va oltre quella puramente economica. Penso ad esempio alle infinite possibilità offerte dalla tecnologia blockchain "ai suoi utilizzi nel mettere insieme i mondi associativi su basi concrete, al riparo da delegittimazioni per effetto di utilizzi di meccani-

smi partecipativi non trasparenti e apertamente certi-
ficati. Con la blockchain il registro del consenso diventa pubblico, in modo da permettere di compiere
transazioni in sicurezza, con più soggetti".[6]
Lo Stato può intervenire per regolare investimenti
stranieri in settori sensibili e acquisizioni predatorie
che mettono a rischio know how e posti di lavoro. Ciò
va perseguito non attraverso interventi discrezionali
ma mediante un rafforzamento ulteriore della cosiddetta normativa "Golden Power".[7] In ogni altro caso
gli investimenti internazionali sono benvenuti e inco-
raggiati. Allo stesso modo vanno scoraggiate le delocalizzazioni procedendo alla restituzione di tutti gli
incentivi fiscali e diretti percepiti, e a una responsabilità diretta della multinazionale che delocalizza sul
processo di reindustrializzazione come già previsto,
ad esempio, nella normativa francese.

In una fase di trasformazione dell'economia, lo
Stato premia fiscalmente solo chi assume e soprattutto investe. Ciò vale per le imprese e per i cittadini
(quando ad esempio sostituiscono una vettura inqui-
nante o investono nella qualità energetica di un immobile). L'allargamento della platea delle imprese che
investono in innovazione va favorita attraverso potenti stimoli fiscali su competenze, formazione, tecnologia e ambiente. Il diritto alla formazione deve entrare
a far parte dei contratti di lavoro per evitare che alle
ondate di innovazione tecnologica seguano ondate di
licenziamenti. Salario minimo, laddove non è ancora
previsto, ed estensione della contrattazione alla Gig
economy devono evitare che i nuovi lavori divengano
un far west in competizione con quelli regolati. Il sistema di reti di protezione in caso di perdita del posto
va ampliato e collegato alla formazione costante e al
reinserimento nel mondo del lavoro. Questo vale in
particolare quando si ha a che fare con cambiamenti

violenti del sistema produttivo derivanti da innovazione tecnologica e globalizzazione. Sia in Ue che negli Stati Uniti esistono fondi dedicati a questo scopo ma il loro ammontare è totalmente inappropriato rispetto agli effetti redistributivi messi in moto da innovazione e globalizzazione. Infine va favorito fiscalmente il collegamento tra produttività e salario, defiscalizzando premi e quote di salario collegate ai risultati. La trasformazione violenta del tessuto produttivo deve essere gestita e governata prevedendo un budget pubblico in crescita nel finanziamento di nuovi ammortizzatori sociali. Prestiti e finanziamenti agevolati vanno pensati per piccoli imprenditori e start up (non solo tecnologiche visto che con Impresa 4.0 questa distinzione perde di senso). Mentre gli strumenti di assicurazione contro la povertà vanno resi strutturali e connessi a programmi di educazione dedicati a bambini e ragazzi di famiglie che versano in una condizione di indigenza. L'identificazione di "aree di crisi sociale complessa" dove è più difficile spezzare la spirale di emarginazione può essere un sistema utile per selezionare le priorità nella destinazione delle risorse. Una delle grandi linee di faglia che si è aperta nelle nostre società ha infatti molto a che fare con le differenze geografiche. La polarizzazione tra vincenti e perdenti riguarda i territori tanto quanto le persone e le imprese. Per questo l'intervento straordinario dello Stato deve tornare ad avere anche un orientamento geografico.

Infine l'equilibrio di bilancio. La crescita dell'indebitamento pubblico è un gigantesco rischio sistemico. Non possiamo pensare di trovare le risorse che servono per portare avanti le iniziative di cui ho parlato attraverso la crescita dell'indebitamento. Questo è certamente valido per l'Italia ma come abbiamo visto anche per molti altri paesi occidentali. Le risorse vanno dunque trovate attraverso: 1) redistribuzione dei carichi fiscali; 2) razionalizzazione della spesa; 3) lotta senza quartiere all'evasione. Il punto 1 deve essere implementato immediatamente e per primo per dare il senso di un cambiamento di direzione nelle politiche pubbliche. Per sconfiggere lo scetticismo dei cittadini che traducono redistribuzione del carico fiscale con aumento delle tasse, potrebbe essere utile costruire un vincolo di destinazione sia per quanto riguarda il maggior gettito derivante dall'aumento di una specifica tassa, sia per quanto riguarda il recupero dell'evasione. Generando in quest'ultimo caso anche un positivo conflitto tra chi le tasse le paga e chi le evade. Per quanto riguarda invece il secondo punto è mia profonda convinzione che i processi di spending review debbano scaturire dal ridisegno dei processi della pubblica amministrazione e non viceversa. I tagli lineari si scaricano inevitabilmente sugli investimenti e sulle attività piuttosto che sugli sprechi. I margini per fare un taglio dei costi orientato all'efficienza è enorme. Quando sono arrivato al ministero dello Sviluppo economico ho trovato circa 10 miliardi di euro di incentivi non utilizzati. Un lavoro di pulizia giuridicamente complesso mi ha consentito di cancellarne 5 e di mettere le premesse per tagliarne altri 2,5 nel 2018. La sostituzione di questi incentivi a bando, inefficienti e che aumentano l'intermediazione politica (e la corruzione), con incentivi fiscali automatici (piano Impresa 4.0) ha consentito di ottenere risultati immediati in termini di ricaduta sull'economia reale e un miglioramento nell'allocazione del capitale pubblico. La stratificazione e frammentazione delle iniziative lanciate e poi abbandonate dai politici nelle mani di una PA spesso priva di qualsiasi indicazione operativa, è davvero impressionante. Il risultato è una pubblica amministrazione inefficiente e costosa che diminuisce costantemente la propria produttività. Riqualificazione della spesa e della PA devono procedere di pari passo.

Dignità della politica e rafforzamento dello Stato

La politica va sottratta al potere di influenza indebita delle lobby. Occorre ripristinare il finanziamento pubblico dei partiti politici insieme alla promulgazione di una legge che ne definisca i criteri minimi di democrazia interna e una rendicontazione finanziaria limpida e dettagliata. Ciò deve valere anche per le fondazioni collegate a personalità politiche o gruppi politici. Va emanata, dove non presente, una normativa sul conflitto di interessi che impedisca ogni intreccio tra potere economico (in particolare mediatico) e politica. Vanno definiti limiti assoluti di spesa in campagna elettorale (già vigenti ma facilmente aggirabili in Italia così come nella maggioranza degli altri paesi). Le amministrazioni pubbliche devono costituire un registro delle lobby e rendere trasparenti i contatti con i portatori di interesse. L'agenda delle figure apicali di governo, tecniche e politiche, deve essere accessibile ai cittadini sia pure con uno sfasamento temporale per evitare la diffusione immediata di notizie riservate che possono avere un'influenza sulle attività di governo e/o sull'andamento dei mercati.[8] La politica, i ruoli di governo e la presenza in Parlamento, vanno remunerate adeguatamente (ci siamo dimenticati che la remunerazione delle cariche elettive e di governo è stata una grande conquista democratica). In cambio va più duramente disciplinato il conflitto di interessi durante e dopo lo svolgimento di un mandato pubblico. Per gli ex membri del governo (locale e nazionale) deve essere previsto un periodo lungo di "raffreddamento", remunerato, prima di poter accettare un lavoro nel privato attinente al compito pubblico svolto.

Se c'è una lezione che ho imparato nei cinque anni di permanenza al governo è che, anche in assenza di riforme, una gestione attenta e la cura verso l'implementazione possono davvero fare la differenza in termini di qualità dell'azione pubblica. Uno Stato autorevole e forte non può prosperare senza una Pubblica amministrazione efficiente e indipendente. La Pubblica amministrazione deve essere profondamente riqualificata ma non punita. Al contrario, vanno investite risorse economiche in formazione permanente e retribuzioni. In cambio la PA deve accettare regole di funzionamento e gestione equivalenti a quelle del settore privato (a parte l'accesso esclusivamente regolato da concorso pubblico e con l'eccezione dei livelli apicali dove occorre ricominciare ad attrarre talenti dal settore privato per accelerarne la modernizzazione). Il settore pubblico lavora ancora con un'organizzazione totalmente fondata su base gerarchica, un approccio abbandonato dal settore privato negli anni sessanta e settanta a favore di modelli a rete e a matrice. Non è una situazione che può continuare. Il ragionamento sulla PA si intreccia con quello sul governo in tempi di rapido cambiamento. Abbiamo vissuto una stagione di riforme che non riformano perché pensate in una logica novecentesca. La retorica delle riforme ha nascosto l'importanza dell'attenzione alla gestione come elemento davvero trasformativo dell'azione pubblica. E invece la separazione tra politica, deputata a dare gli indirizzi, e amministrazione, che deve recepirli e implementarli, è pericolosa se scarica la politica dalla responsabilità diretta sui risultati dei suoi slogan. Pur mantenendo una distinzione di funzioni, occorre regolare meglio questo rapporto tra obiettivi e strumenti per raggiungerli riunificando la responsabilità in capo alla politica.

I poteri del governo vanno rafforzati e tutelati dall'invadenza della giustizia (in particolare quella amministrativa). L'uso di ricorsi va limitato in modo più stringente. Il governo deve inoltre mantenere il controllo a ogni livello amministrativo dell'interesse nazionale attraverso l'inserimento di una "clausola di supremazia" nell'ordinamento nazionale (dove non prevista) e ampi poteri di commissariamento degli enti locali inefficienti.

Vi è poi un punto fondamentale relativo al funzionamento del potere legislativo. Come già scritto, l'epoca delle grandi riforme destinate a durare per decenni è finita. La velocità del cambiamento porta alla necessità di continui aggiornamenti. Le riforme strutturali diventano così riforme continue che moltiplicano la confusione e creano una inefficace stratificazione di leggi. È necessario rivedere il ruolo della legge, che deve diventare la cornice di princìpi e indirizzi all'interno della quale l'esecutivo deve potersi muovere con maggiore libertà. Al contrario – e ciò avviene sicuramente in Italia – il Parlamento tende a normare ogni dettaglio, senza lasciare la possibilità all'esecutivo di mantenere un saldo controllo della fase implementativa e di procedere a verifiche di efficacia ed evoluzioni utili in una realtà complessa e in continuo cambiamento. Per quanto arduo possa risultare modificare la Costituzione di una democrazia liberale, questa sfida non può essere abbandonata. Pochi o nessuno dei paesi occidentali hanno oggi sistemi istituzionali e processi pubblici in grado di gestire le trasformazioni violente a cui andiamo incontro. Riformare la democrazia o perderla: potrebbe non essere una rappresentazione estrema del problema che abbiamo davanti.

Conclusioni. *Un New Deal per l'uomo nell'era digitale*

Le tre linee d'azione che ho elencato vanno ovviamente declinate e ampliate per adattarle, come proposta politica, alle diverse situazioni dei paesi occidentali. Ma esiste un "nucleo" del progetto di "democrazia progressista" che può accomunare la maggior parte delle democrazie liberali occidentali: il potenziamento del ruolo dello Stato nel gestire le trasformazioni, dell'individuo e della comunità.

Il progresso non è un fenomeno naturale che si dispiega nello stesso modo per tutti e distribuisce i suoi benefici in forza di una intrinseca capacità di interagire equamente con la società. Come abbiamo visto, il progresso non governato, in determinate fasi storiche, contribuisce alla polarizzazione tra vincenti e perdenti e all'aumento delle diseguaglianze. E l'individuo nel contesto di una democrazia liberale non svolge automaticamente un ruolo positivo per il progresso materiale e culturale di tutta la società. Occorre che venga messo nelle condizioni per farlo. Lo Stato ha la responsabilità di gestire le trasformazioni e renderle meno dirompenti, riducendo le diseguaglianze che ne derivano. Proteggere i cittadini dall'iniquità del progresso e del mercato è un dovere e non un'opzione. Investire per dare gli strumenti culturali e materiali ai cittadini per trovare la propria strada attraverso i mutamenti in atto è altrettanto necessario in una strategia complessiva per affrontare i grandi flussi di cambiamento della modernità e sconfiggere la paura. Per questo abbiamo bisogno di uno stato nazionale che recuperi spazio di decisione rispetto a un'economia globalizzata ma squilibrata. Questo spazio deve essere ricostituito continuando a lavorare all'interno delle strutture di *governance* dell'economia internazionale per renderle meno dipendenti dalla teoria economica, usando anche lo strumento "tradizionale" delle alleanze bilaterali o plurilaterali e resistendo all'imposizione dall'esterno di ulteriori limiti al potere statuale. I prossimi trent'anni metteranno a dura prova i nostri sistemi politici e sociali. Questa volta non potremo, come stiamo tentando di fare (poco e male) oggi con la globalizzazione, curare a posteriori le ferite che si apriranno nella società. Se non saremo in grado di anticipare e governare i rischi collegati al progresso tecnologico e alla crisi delle istituzioni democratiche, le ferite saranno troppo profonde per essere suturate con qualche punto e alcune frasi di circostanza.

Nel passato recente ci sono stati due momenti fondamentali in cui lo stato ha ripreso in mano le redini del progresso per raddrizzare i guasti prodotti dal mercato senza regole e dalle conseguenze delle crisi economiche (e delle guerre): il New Deal[9] negli Stati Uniti e il periodo che va dal lancio del piano Marshall[10] agli anni settanta in Europa. In entrambi i casi, a differenza della risposta alla "Grande recessione", messa in atto dai governi occidentali, gli stimoli andarono ben oltre quelli monetari e i salvataggi bancari. L'intera società fu ridisegnata grazie a una serie di provvedimenti che modificarono fisco, intervento pubblico nell'economia, investimenti pubblici infrastrutturali, welfare, banche, concentrazioni industriali, diritto del lavoro, cultura e educazione. Stati Uniti ed Europa uscirono profondamente cambiate, in meglio, da questi due periodi di impegno non solo economico ma anche sociale e culturale. E in entrambi i casi gli interventi diedero la misura della radicalità dei mutamenti di rotta possibili in presenza di shock sistemici. Ed è esattamente quello di cui abbiamo bisogno oggi: un New Deal per l'uomo nell'era digitale. I contenuti sono ovviamente differenti, ma l'urgenza è la stessa. E non è solo un'urgenza economica o sociale, ma anche politica. L'Occidente è reduce da una sconfitta epocale. Il nostro progetto egemonico post-'89 è fallito, la fiducia nei nostri valori è scossa, le fondamenta stesse delle democrazie liberali vacillano. L'Occidente è finito al tappeto e per rialzarsi ha bisogno di trovare una missione.

"Gli stati nel dopoguerra ovunque in Europa erano stati 'sociali', con l'implicita (e spesso costituzionalmente esplicita) responsabilità del benessere dei loro cittadini. Avevano l'obbligo di fornire non solo le istituzioni e i servizi necessari per un ben regolamentato, sicuro e prospero territorio, ma anche di migliorare le condizioni della popolazione, misurate da un ampio e crescente numero di indici."[11] Lo stato sociale in Europa si è fondato sul binomio proprietà economica privata e garanzie sociali. Dalla fine degli anni sessanta questo binomio ha smesso di funzionare per il combinato disposto di un aumento esponenziale dell'intervento dello Stato nell'economia e l'ampliamento a dismisura dello stato sociale senza alcun riguardo per la sua sostenibilità nel tempo e dunque per la sua equità rispetto alle generazioni future. Negli anni settanta l'abbandono del sistema di tassi di cambio fissi fondato sulla convertibilità del dollaro ('71), lo shock petrolifero ('73) e la prima grande trasformazione industriale dal dopoguerra,[12] innescarono una degenerazione che ha aperto la strada al pensiero unico liberista degli anni ottanta. Sistemi pensionistici insostenibili, finanziamenti illimitati a industrie obsolete, Pubblica amministrazione usata come bacino di consenso elettorale e ammortizzatore sociale e sempre meno orientata ai risultati, dinamica salariale sganciata dalla produttività, diminuzione della crescita, aumento della tassazione, dell'inflazione e della disoccupazione minarono la credibilità non solo dello stato sociale

181

ma anche del pensiero socialdemocratico e progressista che lo aveva animato. Vale la pena ricordare che gli anni settanta videro anche una contemporanea crisi dell'Occidente con l'abbandono del sistema nato a Bretton Woods e la sconfitta americana in Vietnam. L'*Ostpolitick* tedesca e poi occidentale si tradusse in un vantaggio solo per l'Urss che vide per la prima volta ratificato il suo dominio sull'Europa dell'Est. Un atteggiamento debole che certamente non contribuì ad accelerare la caduta del comunismo. L'errore fondamentale delle classi dirigenti negli anni settanta fu quello di pensare di poter fermare le trasformazioni invece di impegnarsi per gestirle. Dobbiamo recuperare la prospettiva originaria dello stato sociale, aggiornando gli strumenti e imparando dagli errori fatti e ritrovare forza e unità in politica estera. Progressisti in politica interna, realisti in politica estera. Ma prima di tutto dobbiamo smettere di pensare di esorcizzare la paura con le parole, o peggio con le citazioni fatte a sproposito. Basterebbe ricordare le frasi di Roosevelt successive alla famosa e sempre evocata "l'unica cosa di cui aver paura è la paura stessa", per comprendere la differenza tra la serietà dell'impegno dei progressisti di ieri e l'inconsistenza di quello dei governanti di oggi.

Osservando i miei doveri verso la Costituzione, sono pronto a richiedere l'adozione di quelle eccezionali misure che una nazione colpita potrebbe esigere in questo mondo scosso. Tali misure, o quelle che il Congresso dovesse ricavare dalla sua esperienza e dalla sua saggezza, io cercherò, entro i limiti della mia autorità costituzionale, di portare alla più sollecita adozione. Ma se il Congresso non volesse adottare una di queste due alternative, e se la situazione della nazione fosse ancora critica, io non mi sottrarrò alla chiara responsabilità che eventualmente mi si presentasse. Domanderei al Congresso l'ultimo mezzo che resterebbe per fronteggiare la crisi: ampi poteri esecutivi per combattere contro i pericoli del momento, poteri altrettanto ampi come quelli che mi si sarebbero conferiti se il nostro territorio fosse invaso da un nemico.[13]

Roosevelt fu odiato da una parte dell'America che lo accusava di essere un socialista. Le parole che nel suo discorso dedicò a finanzieri e banchieri superano per durezza di molte lunghezze quelle pronunciate (e forse anche solo sognate) da ogni leader occidentale degli ultimi trent'anni. Ma Roosevelt fu anche un politico accorto e pragmatico capace di scendere a compromessi pur di portare avanti un programma di trasformazione della società americana senza precedenti. Anche in questo caso gli strumenti di oggi devono essere diversi da quelli di allora. La nostra "Tennessee Valley Authority" è la scuola e i suoi prodotti sono la cultura e la competenza, piuttosto che dighe, ponti e canali navigabili. Quella miscela di visione, forza, risolutezza, pragmatismo e consistenza per cambiare radicalmente il corso degli eventi, assicurare il benessere della società, un progresso giusto e la tenuta dei nostri valori è ciò che oggi dobbiamo ritrovare. Mettere il progetto di una democrazia progressista al primo posto nel confronto pubblico nazionale e internazionale è compito dei partiti progressisti. Il tempo delle leadership motivazionali e degli slogan ottimistici e vacui è finito. Non sarà un percorso facile o immediato. Abbiamo costruito le premesse per il declino dell'Occidente e delle democrazie liberali. La battaglia per la democrazia, per i diritti, per i nostri valori contro i nazionalisti sarà lunga e dura. La corrente della Storia li favorisce così come un mondo fatto di relazioni internazionali più conflittuali. Ma in tempi turbolenti i cittadini sono pronti a cambiare rapidamente idea e prospettiva se c'è qualcuno capace di offrire un progetto credibile. E quando la Storia torna, con essa torna il desiderio di impegnarsi e le vecchie linee di demarcazione tra orientamenti politici si sgretolano rapidamente. Molti elettori tradizionalmente conservatori hanno difficoltà a specchiarsi in una destra nazionalista cupa ed "etnica", e nel suo progetto di demolizione della democrazia liberale. Allo stesso modo molti elettori di sinistra riconoscono che la difesa dei valori e dei diritti viene prima delle differenze di vedute sulle ricette economiche, che peraltro si vanno assottigliando a loro favore, per la prima volta negli ultimi trent'anni. I nemici della democrazia liberale possono attaccarla efficacemente, giocando sugli errori commessi, ma non sono in grado di proporre un sistema alternativo credibile. Non si scorge all'orizzonte un modello di società sovranista convincente per i paesi occidentali, o un ordine internazionale alternativo. "Ci troviamo ancora nel momento della disillusione nichilista e della rabbia, quando la gente ha perso la fede nelle vecchie narrazioni e prima che ne abbia abbracciato una nuova".[14] Esiste lo spazio per le forze progressiste di riprendere l'iniziativa politica perduta prima che si apra un nuovo ciclo storico drammatico come quello dei primi cinquant'anni del Novecento che hanno visto per ben due volte la caduta e la resurrezione delle idee liberaldemocratiche. Dalla capacità di trasmettere l'urgenza di un cambiamento radicale e dalla solidità della risposta alla paura dipenderà la possibilità per i progressisti di riguadagnare il centro della scena politica e delle democrazie liberali, e in ultima analisi dell'Occidente stesso, di continuare a svolgere un ruolo da protagonista sulla scena mondiale.

3.
L'Italia

Fragili e confusi

L'Italia è l'anello fragilissimo di un Occidente fragile. La nostra posizione geografica ai margini di un'area di faglia culturale e politica (il Mediterraneo) e il livello quasi insostenibile dell'indebitamento pubblico ci rendono particolarmente esposti alle turbolenze finanziarie, a quelle geopolitiche e ai flussi migratori. Allo stesso tempo siamo tra quelli che più beneficiano e più potranno beneficiare dell'internazionalizzazione, dell'aumento degli scambi e della crescita di una classe media globale. Sta già accadendo: turismo ed esportazioni segnano ogni anno nuovi record. "Leggere" l'Italia non è facile, però, neanche per un italiano. Siamo il paese della cultura ma abbiamo il livello più elevato di analfabetismo funzionale tra i grandi paesi Ocse. Siamo il paese che trae maggiore vantaggio dal fatto di essere dentro l'Eurozona, perché se uscissimo falliremmo immediatamente distruggendo la ricchezza accumulata da tre generazioni, ma siamo anche il paese in cui entrambe le forze politiche che hanno vinto le ultime elezioni sostenevano apertamente la necessità di uscire dall'euro nei

185

modi più stravaganti. Siamo il secondo paese manifatturiero d'Europa, ma anche quello dove sopravvive di più una cultura antindustriale. Abbiamo una imprenditoria di livello globale e un capitalismo debole e quasi mai all'altezza del proprio compito economico e sociale. Abbiamo una ricchezza privata che, rispetto al reddito, è seconda solo al Giappone, ma un numero di poveri tra i più elevati nei paesi Ocse. Siamo la nazione dell'imprenditorialità e delle piccole e medie imprese, ma anche quella in cui il lavoro più desiderato dai giovani è un impiego pubblico. In Italia la cultura del posto fisso convive con la cultura del rischio e della sfida. Abbiamo una straordinaria capacità innovativa, da cui deriva la nostra leadership nella meccanica, ma depositiamo pochi brevetti. Abbiamo un'Accademia eccellente e professori di livello mondiale, ma l'università è organizzata per molti versi secondo criteri novecenteschi. Lamentiamo l'inefficienza dello Stato e delle sue istituzioni, ma bolliamo ogni progetto di riforma come un tentativo di golpe (è successo nel 2006 e nel 2016). Ci piace dipingerci, in particolare all'estero, molto peggio di come siamo, ma quando usciamo dall'Italia eccelliamo in ogni professione e attività. Crediamo di vivere nel paese più corrotto del mondo (e non è vero) e allo stesso tempo continuiamo a votare politici impresentabili. Pensiamo di avere un gigantesco problema di sicurezza mentre i reati sono in costante calo da anni. E geograficamente non va meglio. Il Nord del paese non ha nulla da invidiare ai distretti più produttivi della Germania, anche dal punto di vista di efficienza dei servizi pubblici, mentre alcune parti (ma solo alcune) del Sud avrebbero serie difficoltà a competere con i paesi più avanzati del Nord Africa. Alle differenze tra Nord e Sud, che pure si sono lievemente ridotte nell'ultima legislatura, si sono aggiunte differenze sempre più marcate tra Sud e Sud. Nel 2017 abbiamo contemporaneamente conseguito il record di export (450 miliardi di euro di beni esportati) e di poveri assoluti (5 milioni). Siamo il primo paese occidentale dove si è formato un governo guidato da sovranisti antioccidentali, ma siamo anche il paese dove il senso della nazione e dello Stato è più flebile. Non è un caso che la Lega abbia trovato all'estero, in Russia, il suo riferimento politico e culturale. Sovranisti senza patriottismo: un *unicum* nel mondo. Siamo insomma un paese immensamente confuso e contraddittorio. Forse continuiamo a essere tanti paesi in un solo Stato. In passato questa contraddittorietà ha determinato una crescita economica, sociale e culturale ridotta rispetto agli altri paesi europei. Oggi le tempeste che investono tutto l'Occidente rischiano di affondarci.

La crisi della democrazia liberale colpisce una nazione per molti versi già indebolita dalle "malattie dell'Occidente". Stato debole (ma pervasivo), analfabetismo funzionale, squilibrio nel rapporto tra diritti e doveri, senso della comunità labile, sfiducia nelle istituzioni, diseguaglianze (geografiche, economiche, generazionali), paura del futuro sono tutte patologie presenti in Italia da molti anni prima del manifestarsi della crisi dell'Occidente. Abbiamo sperimentato prima e più in profondità tutte le disfunzioni che stanno oggi colpendo gli altri paesi occidentali. La grande recessione ha avuto per noi gli effetti di una guerra. Abbiamo perso quasi un quarto della base manifatturiera, la disoccupazione è arrivata al 13%, quella giovanile ha superato il 42%, abbiamo perduto 10 punti di Pil. Ma i problemi erano iniziati prima: "Nel 1999 il reddito pro capite di un tedesco, in termini di potere d'acquisto, era solo il 5% più alto di quello di un italiano. Oggi è del 25% più alto".[1] La ragione di questa vera e propria ecatombe è dunque da ricercarsi nella quarantennale mancanza di cura verso i fattori di crescita del paese e della società: istituzioni salde ed efficienti, produttività, politica industriale, investimenti, scuola e università ecc. Per quasi tutta la Seconda Repubblica e gran parte della fine della Prima, i governi italiani sono stati quanto di più inefficiente e "distratto" rispetto alla crescita economica, sociale e culturale l'Occidente abbia prodotto. Non per niente: "Il Pil italiano è aumentato del 45,2% negli anni settanta, del 26,9% negli anni ottanta, del 17% nei novanta, del 2,5% nell'ultimo decennio. Questa dinamica non ha paragone negli altri paesi".[2] E ancora più impressionante il dato sull'impoverimento delle famiglie, il peggiore di tutti i 25 paesi Ocse esaminati da uno studio di McKinsey del 2016: "I nuclei famigliari con un reddito piatto o in caduta prima di imposte e contributi nell'arco di dieci anni [2005-2015 NdA] rappresentavano il 97%, o il 100% una volta contabilizzati gli interventi del governo."[3] Il che dimostra che la capacità dello Stato, e in modo specifico del sistema fiscale, di alleviare le diseguaglianze era (e in larga parte ancora è) peggio che nullo. Caso unico in tutti i 25 paesi Ocse analizzati nello studio. Non stupisce che il nostro coefficiente di Gini, che misura il livello delle diseguaglianze, sia peggiore rispetto a tutti i grandi paesi continentali europei, e persino della Gran Bretagna che ha un sistema economico e sociale a cavallo tra Stati Uniti ed Europa. Un disastro che non può essere esorcizzato o spiegato con il comodo escamotage di attribuire tutta la responsabilità alla classe dirigente politica). La "casta" è stata votata e rivotata da quegli stessi cittadini italiani che hanno poi aderito (con un grande processo di rimozione di massa) al "Vaffa Day" di un strampalato comico miliardario, e alla rivolta contro le élite capeggiata da un signore che ha passato tutta la sua vita lavorativa nella politica, spesso senza neanche presentarsi al lavoro (come europarlamentare Salvini ha al suo attivo un numero elevatissimo di assenze che non gli ha impedito di percepire quasi 20 mila euro al mese di stipendio). Non abbiamo mai fatto veramente i conti con le nostre responsabilità di cittadini nella scelta di rappresentanti incapaci e talvolta indegni. A ogni fallimento è corrisposto un processo di cancellazione della memoria. Abbiamo osannato i magistrati che smontavano a suon di avvisi di garanzia la Prima Repubblica, salvo poi idealizzarla a posteriori dimenticandoci sprechi, inefficienze e corruzione. E ancora, abbiamo salutato l'esordio di Monti come l'arrivo del salvatore della patria e poi lo abbiamo denigrato quando, con un sorprendente atto di coraggio, ha deciso di scendere in politica invece di ritirarsi comodamente a fare la riserva della repubblica. Nel 2011 il paese stava per perdere accesso al mercato dei capitali ed era prossimo a essere messo sotto tutela dalla Troika, tutti gli italiani allora ne erano consapevoli. Oggi le stesse persone pensano che in realtà tutto andava benissimo e che quel drammatico momento è stato solo l'ennesimo complotto dell'Europa e dei poteri forti.

Nell'ultima campagna elettorale le promesse dei partiti hanno raggiunto un livello di fantascienza senza precedenti. Il costo cumulato di tutte le promesse, in particolare dei partiti che hanno poi vinto le elezioni, ha superato i 200 miliardi di euro. Nessun italiano ci ha realmente creduto. Nessun italiano, anche chi ha votato M5S e Lega, sembra pretendere che l'attuale governo mantenga ciò che ha giurato di fare.

Vi è nel paese una convinzione profonda e diffusa che lo Stato è "altro" rispetto ai cittadini. Una controparte antipatica, ricca, spendacciona e corrotta a cui è sempre legittimo chiedere, anzi pretendere, ma a cui non è mai obbligatorio dare.

Esiste anche un problema culturale dietro la dimensione senza eguali dell'evasione fiscale in Italia: almeno 100 miliardi di euro di cui 50 recuperabili se raggiungessimo un livello di evasione "fisiologico". Ciò vorrebbe dire: 1) finanziare una riduzione del cuneo fiscale nell'ordine di 5 punti che ci allineerebbe ai migliori in Europa e favorirebbe l'occupazione a tempo indeterminato; 2) il completamento del reddito di inclusione per coprire tutte le famiglie povere; 3) un nuovo sistema di ammortizzatori fiscali più forte e moderno; 4) una riduzione di 10 miliardi di tasse concentrate sui cittadini meno abbienti; 5) il pareggio di bilancio (partendo dall'attuale livello di deficit).

Le ragioni di questa separazione tra Stato e cittadino sono antiche e profonde. Ma guardare in faccia i nostri errori, assumendoci le responsabilità che ci competono, è fondamentale se vogliamo avere una qualche possibilità di affrontare gli orizzonti selvaggi che si avvicinano inesorabilmente. Non possiamo vivere in un perenne stato di negazione, peraltro alimentato dai media ormai capaci di accompagnare cadute e riscatti di qualsiasi personaggio politico senza mai rendere conto delle opinioni precedentemente espresse. Negli ultimi venticinque anni, tanto per fare un esempio, abbiamo assistito alla caduta e alla riabilitazione di Silvio Berlusconi almeno una decina di volte.

Siamo fragili proprio perché abbiamo individualità forti e civismo, senso dello Stato e della comunità deboli. C'è chi si spinge a suggerire che dovremmo prendere atto di questa realtà "antropologica" e ridefinire la nostra società su un modello anglosassone, più individualista. Questo pensiero ha una sua razionalità. Personalmente l'ho condiviso per molti anni, ma

Stato e comunità deboli in periodi di crisi e paura fanno emergere leadership illiberali. Ed è ciò che sta accadendo in Italia. In modi diversi, e forse alla lunga incompatibili, M5S e Lega vogliono demolire la democrazia liberale per sostituirla rispettivamente con una democrazia (apparentemente) diretta, nel caso del M5S, o illiberale, nel caso della Lega. In fondo questo è l'unico vero collante che unisce movimenti altrimenti agli antipodi. Come abbiamo già visto ci sono alcuni passaggi obbligati per raggiungere questo obiettivo. 1) identificare dei nemici: i migranti per la Lega, le élite, le istituzioni italiane e internazionali per entrambi. 2) soffiare sul fuoco della paura inventando invasioni e complotti dei soliti poteri forti. 3) produrre strappi sociali e alimentare l'odio tra cittadini. 4) minare le regole dello Stato di diritto presentandole come una camicia di forza rispetto alla possibilità di perseguire quello che viene fatto passare come l'interesse degli italiani. Quando Salvini dichiara che l'inchiesta della magistratura nei suoi confronti "è una medaglia sul petto", superando tutte le precedenti e spesso poco istituzionali affermazioni di politici italiani sulla magistratura, lo fa proprio nel senso di affermare il disprezzo verso lo stato di diritto. Una riedizione del "me ne frego" dannunziano poi diventata parola d'ordine dei fascisti. Nel frattempo nulla è stato fatto sul fronte migratorio o sulla sicurezza: l'espulsione dei clandestini, i rimpatri, la chiusura dei centri di accoglienza, la redistribuzione dei migranti in Europa, non si è scorta l'ombra di un'attività, non parliamo di risultati. La guerra alle Ong e il blocco di una nave della nostra Guardia costiera (caso unico nella storia) sono gli unici segni di vita dati dal ministro dell'Interno. Nei primi tre mesi, invece di lavorare al ministero per sviluppare una linea di governo, ha trovato il tempo per fare 60 tappe di un tour tra spiagge, festival e pesca alle trote. Tutto ciò continuando a descrivere l'Italia come il paese più pericoloso e insicuro del mondo. Come se il suo lavoro nulla avesse a che fare con questa drammatica (e falsa) rappresentazione. "L'opposizione di governo" è un inedito anche per il nostro paese.

Per ora questa strategia sta avendo successo. Nonostante l'evidente incapacità di governare e il mancato rispetto di tutte, dicasi tutte, le promesse elettorali, i sondaggi continuano a premiare Lega e M5S. Insieme i due partiti di governo, secondo i principali istituti di ricerca, sfiorano il 60% dei voti. Il governo Conte sta beneficiando di una luna di miele che deriva dell'entusiasmo per tutto ciò che è nuovo o si presenta come tale. È il nostro modo per rimuovere il passato e cancellare le nostre responsabilità. Come ho scritto, il governo per ora continua a fare opposizione. Ai proclami segue il nulla. Ma i proclami sono emotivamente efficaci e il nulla si manifesta solo dopo un certo periodo di tempo. Dopo aver condotto, dall'opposizione, campagne per l'uscita dall'euro e provocato il raddoppio dello spread per aver scritto una delirante bozza di programma di coalizione che includeva lo studio di un piano per uscire dalla moneta unica, Lega e M5S hanno riportato l'Italia nel mirino della speculazione internazionale. In piena bonaccia dei mercati e con dati economici e finanziari finalmente positivi ci siamo autoinflitti una potenziale crisi finanziaria con lo spread che è arrivato a 320 punti nel pieno della crisi istituzionale conseguente al fallito tentativo di portare al ministero dell'Economia un professore noto per aver elaborato un surreale piano B per l'uscita dall'euro (che *en passant* prevedeva anche il default del paese!). L'Italia ha rischiato, per questa ragione, di perdere rapidamente l'accesso al mercato dei capitali, mentre il M5S chiedeva la messa in stato di accusa del presidente della Repubblica che si era, giustamente e legittimamente, rifiutato di nominare Paolo Savona al ministero dell'Economia. Più che evocare il "cigno nero" Paolo Savona dovrebbe lasciar cadere il pennello e smetterla di dipingerlo. Perché è quello che sta facendo. Dichiarazione dopo dichiarazione, le mani di vernice si vanno accumulando sul nobile volatile. Mentre scrivo lo spread è tornato intorno ai 300 punti base e il rischio di una crisi finanziaria aumenta. Il 65% degli italiani è decisamente contrario all'uscita dall'euro. Il 65%[4] degli italiani è pronto a votare partiti che hanno a più riprese dichiarato di essere a favore dell'uscita dall'euro. Un tale livello di confusione è esiziale per un paese che ha un rapporto debito/Pil superiore al 130%. Prima di temere i mercati dovremmo temere la nostra incapacità di confrontarci con la realtà e con la responsabilità. Fondamentalmente per questa ragione stiamo correndo oggi un grave rischio. Il varo della prossima legge di bilancio determinerà probabilmente l'apertura di una procedura di infrazione da parte della Commissione europea; mentre le tensioni internazionali sui dazi, le dichiarazioni su possibili "referendum sull'euro", minibot, piani fantascientifici per cancellare il debito, la richiesta di aiuto a Russia e Cina sui titoli di Stato, che ritornano puntualmente da parte di esponenti politici che ricoprono incarichi importanti in parlamento e nel governo, e la fine del *Quantitative Easing*, stanno assottigliando il ghiaccio sotto i nostri piedi. L'Italia non è in sicurezza. Eppure non si scorgono segni di allarme tra la maggioranza dei cittadini.

Gli italiani non sono "un legno storto" da raddrizzare ma una comunità che ha perso da molti anni il senso di un proprio destino comune, e dunque anche della propria storia e della propria identità. Di chi è la colpa? Della politica, delle élite economiche, del sindacato, dei cittadini, degli intellettuali? Di nessuno? Di tutti? Una domanda utile per gli storici ma inutile per chi vuole lavorare oggi per il paese. A questo punto siamo arrivati insieme e da questo punto dobbiamo muoverci insieme, riflettendo sulle responsabilità individuali piuttosto che su quelle altrui. Comincio proprio da qui. Dopo una legislatura "progressista" l'Italia ha sterzato violentemente. Dobbiamo domandarci il perché.

2013-2018: gli esiti di una legislatura progressista

La XVII legislatura ha visto avvicendarsi tre presidenti del Consiglio del Partito democratico: Enrico Letta, Matteo Renzi e Paolo Gentiloni. È stata la prima legislatura della storia d'Italia interamente governata dal centrosinistra (fino alla fine del 2013 con il sostegno del centrodestra). I dati raccontano un bilancio di questi cinque anni decisamente positivo. L'Italia è passata da un deficit del 2,8% nel 2013 al 2,3%, salvataggi bancari inclusi, nel 2017 (1,9 senza salvataggi), mentre la crescita è passata da -1,7% al +1,5%. La disoccupazione è diminuita drasticamente. Dal 2014 al 2017 sono stati creati un milione di posti di lavoro. Il 50% dei quali a tempo indeterminato. Il tasso di disoccupazione generale è sceso di più di due punti percentuali, quello giovanile di oltre 12 punti. Il numero di occupati, che rimane basso in confronto alla media europea in particolare a causa della scarsa partecipazione delle donne al mercato del lavoro, è arrivato a superare i 23 milioni, record dal 1977. Il tasso di occupazione è tornato ai livelli del 2008. Gli occupati a tempo determinato sono poco più di 3 milioni contro i 15 di quelli a tempo indeterminato e i 5 milioni di autonomi. Un numero in linea con la media UE nonostante la percezione diffusa tra gli italiani che il paese sia ormai popolato solo da lavoratori precari. Sono aumentati gli investimenti privati ed è ricominciata a crescere la produttività, da sempre la grande malattia italiana. È diminuita la pressione fiscale: la tassazione totale sulle imprese è scesa di 15 punti percentuali e quella generale di due punti. Gli investimenti industriali in tecnologia e ricerca e innovazione sono aumentati più della media europea grazie a un piano da 30 miliardi di euro, Impresa 4.0, di stimolo agli investimenti. Export e saldo commerciale, come già detto, hanno segnato un record assoluto (crescendo nel 2017 persino più della Germania) e così gli investimenti esteri. Su entrambi i fronti sono state stanziate risorse, umane e finanziarie, importanti per la prima volta nella storia del paese. La crisi delle banche scoppiata in ritardo rispetto agli altri paesi europei e dopo l'approvazione di una normativa molto restrittiva sui salvataggi pubblici è stata risolta spendendo una cifra infinitesimale rispetto agli altri stati membri della Ue. Risparmi, correntisti, obbligazionisti e persino obbligazionisti subordinati privati sono stati quasi tutti tutelati. Riforme da lungo tempo attese sono state varate su: mercato del lavoro, scuola, unioni civili, testamento biologico, pubblica amministrazione. È stato approvato un ammortizzatore sociale universale contro la povertà, sia pure con grave ritardo e in misura insufficiente. Gli arrivi di migranti in Italia sono stati ridotti nell'ultimo anno dell'80%, anche se la riduzione è iniziata solo dal 2017. I reati sono crollati. Gli ultimi dati pubblicati dal Viminale mostrano un calo del 9,5% dei delitti, del 14% degli omicidi, dell'11% delle rapine e del 33% dei delitti mafiosi.

Molti risultati economici sono anche il frutto di una congiuntura molto positiva e del supporto della Bce, che attraverso il *Quantitative Easing* ha tenuto basso il costo del debito liberando risorse destinate alla crescita. Alcune riforme sono poi venute decisamente male. In particolare quella della scuola ha rivelato molte pecche, riuscendo anche a suscitare l'opposizione di tutto il corpo docente in presenza dell'assunzione di 100 mila insegnati precari. In altri casi abbiamo fatto errori di politica economica. Se i 10 miliardi degli 80 euro fossero stati destinati ad abbassare strutturalmente il costo del lavoro (diminuito per tre anni grazie a incentivi ormai conclusi) la crescita dell'occupazione a tempo indeterminato non si sarebbe arrestata con la fine dei bonus. Ma se prendiamo come riferimento la Francia la legislatura italiana è stata decisamente più produttiva in termini di riforme e risultati economici. E anche i differenziali di crescita in favore di Parigi vanno visti tenendo in considerazione il deficit molto superiore prodotto dalla Francia (costantemente sopra il 3%) nel periodo 2013-2017. Il rapporto debito/Pil si è andato stabilizzando, e nel 2017 si è persino registrato un lieve calo rispetto al 2016. E tanto per smentire chi vede sempre nell'Italia un paese di scialacquatori giova ricordare che dall'inizio della crisi il nostro debito è cresciuto la metà di quello francese.

Eppure il Partito democratico è passato dal 40% delle elezioni europee del 2014, record assoluto della storia della sinistra, al 18% delle elezioni politiche del marzo 2018, il risultato peggiore di tutti i tempi. Dal 2014 il Pd ha perso ogni rilevante elezione amministrativa ed è stato sonoramente sconfitto al referendum costituzionale del dicembre 2016 (60-40). La proposta di riforma della Costituzione è stata bocciata nonostante andasse nella direzione auspicata per anni da tutti i partiti politici e dalla stragrande maggioranza dei cittadini italiani. La sconfitta al referendum costituzionale è stata una sconfitta politica più che di merito (come del resto quella precedentemente subita dal governo Berlusconi nel 2006). Prova ne sia che quando la riforma è stata varata in Parlamento il livello di consenso verso i suoi contenuti era elevatissimo.

Personalmente considero, essendo beninteso totalmente di parte, i governi Renzi e Gentiloni tra i migliori della storia italiana in quanto a risultati raggiunti. In particolare l'ambizione di Renzi di fare cose grandi e importanti per il paese, di ridargli forza e dignità internazionale, di rimotivarlo anche mettendone in luce le contraddizioni non può a mio avviso essere messa in discussione. Se gli italiani avessero approvato il referendum e la Consulta, con una decisione peraltro molto dubbia, non avesse invalidato la legge elettorale, l'Italia sarebbe finalmente entrata nella Terza Repubblica con un sistema istituzionale ed elettorale adeguato alle sfide del cambiamento.

Le ragioni di una parabola politica tanto negativa, pur in presenza di una valida attività di governo, vanno dunque ricercate in primo luogo in una sconnessione emotiva con i cittadini, le loro paure e le loro inquietudini, determinata da una retorica motivazionale e ottimistica frutto di una lettura superficiale del momento storico. Abbiamo mostrato, così come i progressisti negli altri paesi occidentali, di avere il "cuore duro" davanti alla sofferenza e alla paura. Una colpa imperdonabile per i cittadini. Ci siamo limitati a ripetere le parole d'ordine dei progressisti anni novanta senza capire che il mondo era nel frattempo completamente cambiato e che l'Italia era stata profondamente colpita da un trentennio di malgoverno, ben oltre i dati del Pil o dell'occupazione. Questo distacco è all'origine di una spirale di errori da cui non siamo ancora usciti. Quando abbiamo perso il contatto con il paese la nostra energia si è trasformata in arroganza, l'arroganza in chiusura, la chiusura in sconfitta, la sconfitta in rancore. Errori simili sono stati commessi dai progressisti in molti paesi occidentali. Come ho cercato di spiegare in queste pagine, i progressisti nuotavano e nuotano contro la corrente della Storia, ma questo fatto da solo non basta a spiegare la loro disfatta in tutto l'Occidente. Anche per questo vale la pena ripercorrere le tappe più significative della parabola discendente del Partito democratico al governo dell'Italia dall'inizio del 2015 in poi.

• Nel 2015 il paese ha iniziato a mostrare i primi segni di un timido miglioramento economico (Pil +0,8% dopo anni di crescita negativa, Export 3,7). Il governo ha iniziato a presentare i dati come la dimostrazione di una inversione di tendenza consolidata mentre il percorso di recupero del Pil, dei posti di lavoro persi durante la crisi e soprattutto del ristabilimento di un minimo di equità e fiducia era appena all'inizio. Siamo caduti nella trappola della quotidiana battaglia sui dati. A ogni segno più, la retorica sul "paese in rimonta" aumentava. Ovviamente poco o nulla di questo inizio di recupero arrivava ai cittadini, che probabilmente neppure pretendevano che il governo risolvesse tutti i problemi italiani in meno di due anni. Invece di mantenere i piedi per terra e dimostrare di capire la permanente sofferenza dei tanti cittadini colpiti dalla crisi, abbiamo progressivamente abbandonato ogni prudenza nella rappresentazione della realtà a favore di un discorso motivazionale.
• Un racconto che ha fatto presa ed è stato recepito dalla parte del paese che aveva effettivamente ripreso a correre. Ci siamo di conseguenza trovati sempre più dalla parte dei "vincenti". Le aziende innovative, le multinazionali digitali, i campioni sportivi, gli artisti di successo, i finanzieri internazionali ecc. L'obiettivo era

ridare orgoglio all'Italia resa insicura da tanti anni di insuccessi e persino derisione internazionale. Ma la buona fede non cambia il fatto che chi rimaneva ai margini della crescita si sia sentito sempre meno rappresentato dal nostro governo.

• In linea con la retorica progressista degli ultimi trent'anni, abbiamo descritto presente e futuro in modo sempre più ottimistico e semplificato. Il messaggio è stato più o meno il seguente: l'Italia è un grande paese destinato a vincere la sfida del cambiamento; innovazione, progresso, internazionalizzazione sono il nostro campo di gioco. Il futuro è pieno di opportunità per tutti, e chi non lo capisce o ne ha paura dimostra arretratezza e rema contro il paese. La retorica dei gufi ha esacerbato gli animi di cittadini che, spaventati e impreparati ad affrontare le sfide del cambiamento e ancora sofferenti per l'effetto della crisi, si sono anche sentiti dileggiati.

• Con l'aumentare del distacco tra governo e cittadini la nostra narrazione ha preso una curvatura sempre più aggressiva. La spinta al rinnovamento è sembrata rivolta *contro* invece che *per* il paese. Rottamare (uno slogan che va bene quando non si è al governo da anni) invece di costruire, aggredire invece di coinvolgere. Gli ammiccamenti agli argomenti, alle parole d'ordine e anche in alcuni casi alle politiche dei populisti si sono fatti più frequenti nel tempo all'aumentare del distacco con il paese.

• Questo processo ci ha portato a dividere il mondo in modo sempre più netto tra nemici e amici. Una carica di aggressività che si è rivolta anche verso i membri del governo e del Partito democratico considerati meno allineati. Allo stesso tempo il desiderio di veder cadere il leader forte (pulsione storica irresistibile per la sinistra italiana) ha determinato la nascita di una "fronda" sempre più rumorosa all'interno del partito e aumentato l'ostilità dei media. La cerchia degli amici si è fatta sempre più piccola e la sindrome del "paese ingrato" sempre più forte.

• A un certo punto abbiamo dato l'idea di non avere più un progetto per l'Italia ma solo per la conquista e il mantenimento del potere. Conseguentemente ogni provvedimento, anche quelli che mettevano soldi, in una misura senza precedenti, nelle tasche degli italiani come i famosi 80 euro, che erano stati accolti con entusiasmo tanto da contribuire al successo del Pd alle elezioni europee, sono stati "riletti" a posteriori come un tentativo di "comprare" il voto degli italiani. La riforma costituzionale e la legge elettorale, poi bocciata dalla Consulta, sono state intese dai cittadini come un "assalto al potere" più che come un tentativo di modernizzare il paese.

• Il Jobs Act, la gestione delle migrazioni fino al 2017, i salvataggi delle banche, hanno determinato una profonda reazione negativa da parte dei cittadini. Nel primo caso gli italiani hanno considerato la riforma del mercato del lavoro come un diritto illimitato a licenziare concesso agli imprenditori. Una percezione che non trova alcun riscontro nei fatti. Nel secondo caso le critiche sono più fondate. La debolezza della risposta al fenomeno migratorio nel 2014, 2015 e la primissima parte del 2016 è dovuta al fatto che la stragrande maggioranza dei migranti arrivati, fino alla chiusura parziale delle frontiere europee nel 2016, veniva semplicemente indirizzato verso altri paesi dell'Unione. Nel 2016, con la sospensione di Shengen e l'obbligo di identificazione dei migranti, questo escamotage è venuto meno e gli italiani si sono trovati dalla mattina alla sera pienamente esposti ai flussi di migranti in aumento. Quando accusiamo oggi, anche giustamente, gli altri paesi europei di scarsa solidarietà non dobbiamo dimenticare le nostre "furbizie" di ieri nei loro confronti. Il lavoro, coronato da successo, fatto dal governo Gentiloni e dal ministro Minniti per fermare gli arrivi è giunto troppo tardi. La percezione di un'invasione in atto era ormai radicata nella pubblica opinione insieme alla constatazione sulla gestione interna dei migranti, oggettivamente caotica. Questi due fatti hanno messo le premesse per la performance elettorale della Lega. Sulle banche ogni considerazione di merito sull'attività svolta dal governo, a mio avviso ottima e decisiva per evitare una gigantesca crisi finanziaria, è stata offuscata dalle accuse di conflitto di interesse, peraltro estremamente fragili, al braccio destro del presidente del Consiglio.

• Dopo la sconfitta al referendum e l'arrivo alla presidenza del Consiglio di Paolo Gentiloni molto è cambiato. I livelli di apprezzamento verso il suo operato, dopo un inizio molto difficile, riflettevano la richiesta dei cittadini che la politica tornasse a essere una "forza tranquilla". L'azione del governo Gentiloni è stata, da ogni punto di vista, la prosecuzione di quella del governo Renzi, eppure il paese l'ha accolta molto più di buon grado proprio perché presentata con più misura e con meno conflittualità. È subito iniziato uno scontro perenne tra il presidente del Consiglio, il governo e il segretario del Pd. I continui tentativi più o meno palesi di interrompere prima del tempo la vita del governo Gentiloni, peraltro anche all'inizio, mentre il problema delle banche era ancora aperto, hanno disorientato i nostri elettori. Le ragioni di Renzi avevano una loro consistenza. Tornare a votare immediatamente dopo il referendum avrebbe forse potuto consolidare una parte del 40% che aveva votato sì. Ma il rischio per l'Italia sarebbe stato tremendo con il problema delle banche ancora aperto, mentre con il tempo e l'aumento del consenso di Gentiloni una prematura fine del governo provocata dal Pd sarebbe stata incomprensibile.

• La decisione del Pd di non appoggiare apertamente Paolo Gentiloni come candidato presidente del Consiglio per la coalizione di centrosinistra, il varo di liste elettorali di scarsa qualità, con espedienti addirittura indignitosi (penso al raggiro delle pluricandidature di donne nelle liste per rispettare solo formalmente la parità di genere) e una campagna elettorale tutta all'insegna della rivendicazione dei risultati raggiunti senza alcuna ammissione degli errori compiuti e soprattutto nessun progetto organico per il futuro, hanno contribuito a determinare il disastroso risultato elettorale di marzo.

La traiettoria del Pd e dei suoi governi nella scorsa legislatura è stata provocata da gravi carenze culturali, da errori di posizionamento politico, di comunicazione, di arroganza e di conflittualità ma anche dalle tante anomalie, che ho descritto nei paragrafi precedenti, di un paese bloccato nella sua confusione e contraddittorietà. Un ruolo decisivo lo hanno avuto anche la debolezza della classe dirigente italiana e il mondo dei media. Questi ultimi in particolare hanno rappresentato l'Italia come un paese sfasciato in mano a politici incapaci e imbroglioni. Un racconto composto solo da povertà, lavoro precario, crisi industriali, omicidi, rapine, scandali e criminalità organizzata. Lo specchio rovesciato della narrazione del governo, ma ancora più superficiale e distorto. Lo iato tra cronaca e realtà, di cui ho scritto precedentemente, ha raggiunto in Italia livelli impressionanti. Ciò è particolarmente grave quando, come regolarmente accade, le cronache giudiziarie anticipano l'azione della magistratura e la verità giudiziaria (che quasi mai coincide con la "verità" della cronaca). Renzi è stato a più riprese danneggiato da questa anomalia italiana, anche attraverso indagini poi risultate inconsistenti o peggio pilotate. Da Mani pulite in poi l'idea che i cambiamenti di fase politica debbano essere appaltati all'autorità giudiziaria ha finito per indebolire politica e magistratura. Un conflitto che va avanti da ormai trent'anni, le cui responsabilità sono equamente distribuite. I sovranisti sono oggi in grado di sfruttare il discredito della magistratura, nato anche da decine di inchieste inconsistenti e chiaramente politicizzate, per scardinare lo stato di diritto. Il prossimo conflitto tra magistratura e politica, di cui si scorgono già le prime avvisaglie, potrebbe avere un esito fatale per la capacità del potere giudiziario di rimanere libero e indipendente. Turchia, Ungheria, Polonia e Russia sono ottimi esempi di quanto potrebbe accadere.

Per molti versi una situazione analoga a quella dei media si riscontra nel rapporto con le parti sociali. I sindacati e le associazioni datoriali, anche qui con rilevanti eccezioni (penso in primo luogo alla Cisl, e in particolare alla Fim, il suo sindacato metalmeccanico, che ha sempre dimostrato responsabilità, realismo e capacità di visione), si sono rifugiati nella difesa di scampoli di rappresentanza attraverso piccole battaglie di rivendicazione. Non ho condiviso il tentativo di disintermediazione fatto da Renzi nei confronti di sindacati e associazioni di rappresentanza. Come ho scritto, ritengo i corpi intermedi fondamentali in particolare nei momenti di cambiamento. Nella mia attività di ministro ho sempre cercato di coinvolgerli, non solo come atto doveroso nella risoluzione delle crisi industriali, ma anche nella progettazione di iniziative di politica industriale. I risultati, con l'eccezione di cui ho parlato, sono stati però oggettivamente deludenti, in particolare sul piano della capacità di presentare proposte concrete e di confrontarsi con la realtà dei problemi. Se i progressisti hanno il problema di rifondare il proprio pensiero e di ritrovare una via per riconnettersi con la società, ad analoga sfida sono chiamati i corpi intermedi. Nella più difficile crisi industriale affrontata, quella di Ilva, una parte del sindacato ha fatto saltare il tavolo sindacale per "offrirlo" al nuovo governo. L'accordo sottoscritto all'ultimo secondo dopo mesi di tribolazioni, rischi di annullamento della gara e sperpero di denaro pubblico è oggettivamente peggiorativo di quello da noi proposto in termini di numero di occupati (-800) e garanzie. Il tentativo di una parte del sindacato e da Confindustria di cercare la benevolenza dei partiti populisti dopo le elezioni attraverso scomposte e premature aperture di credito per ricavarne una legittimazione non sono andate a buon fine. I provvedimenti fino a oggi adottati dal governo sono stati tutti segnati da un profilo marcatamente anti-impresa. E non è sorprendente: nessun progetto politico che si fonda su un rapporto diretto con gli umori più viscerali del paese può riconoscere una legittimità e una dignità alle rappresentanze. Esiste dunque un altro nemico da battere ed è il cinismo e la debolezza che affliggono una larga parte della classe dirigente italiana. Dai media alle associazioni di rappresentanza, dai capitalisti agli intellettuali, l'idea che ogni passione civile sia spenta e che si possa contemplare "Roma che brucia" con la "lira in mano", è diventata una posa diffusa e insopportabile. La battaglia che abbiamo di fronte si vince anche sconfiggendo il cinismo dei sostenitori di un "paese fai da te".

Alla fragilità della classe dirigente italiana si è aggiunto il fuoco amico di una parte del Pd, che ha poi deciso di abbandonare il partito. Anche in questo caso l'elaborazione di un pensiero originale e solido, anche critico nei confronti della linea del governo, è stata assente. Comunisti fino all'ultima pietra del Muro di Berlino, Blairiani del giorno dopo, populisti negli ultimi tre anni per opporsi a un governo guidato dal loro partito, la capacità camaleontica degli ex leader provenienti dal Pci ha finalmente disgustato la stragrande maggioranza degli elettori di sinistra. La spregiudicatezza culturale e ideologica della sinistra italiana dall'89 in poi è una delle ragioni fondamentali del suo declino. La costruzione di un pantheon posticcio capace di tenere insieme Kennedy, fervente anticomunista e iniziatore dell'intervento americano in Vietnam, e Berlinguer, che dichiarava conclusa la spinta propulsiva della Rivoluzione di ottobre nell'anno di grazia 1981, rappresenta un tentativo disdicevole di non fare i conti con il proprio passato e contemporaneamente un modo di fare torto alla memoria di due grandi figure della storia che hanno orgogliosamente militato in campi opposti. Stessa inconsistenza i leader della sinistra l'hanno dimostrata nella corsa all'incoronazione di ogni leader europeo vincente, come loro nuovo mentore e nume tutelare. Basta rileggere le dichiarazioni dei vari segretari di Pds, Ds, Pd alla vigilia delle vittorie di Blair, Schröder, Hollande, Tsipras ecc. per capire la mancanza di dignità nazionale delle passate leadership di sinistra.

Costruire un sentiero verso i nostri orizzonti selvaggi

La nostra prova di governo è stata più che decorosa, quella politica, come portatori di un'offerta progressista forte e innovativa, pessima. Le due cose si sono saldate negativamente nel non aver saputo mettere in campo un progetto di governo sufficientemente organico, potente e diverso rispetto alla gestione, pur accurata, della cosa pubblica, proseguita però sugli stessi binari segnati dagli ultimi trent'anni. È mancato un piano complessivo di ricostruzione (piuttosto che rottamazione) del paese. Un "piano industriale per l'Italia" che se ben articolato avrebbe potuto anche convincere i mercati a darci più spazio di manovra finanziaria. Aver presentato il referendum come un modo di rottamare poltrone invece che come un progetto per un'Italia forte capace di proteggere il paese dalle tempeste globali riflette bene l'errore di prospettiva che abbiamo commesso. Prima di tutto per l'assenza di qualsiasi riflessione ed elaborazione culturale che andasse oltre gli angusti confini della quotidiana lotta politica italiana. Da questa trappola non siamo ancora usciti. Mi sono iscritto al Partito democratico il giorno dopo la sconfitta elettorale. Ritenevo indispensabile consolidare e partecipare al rilancio dell'unica formazione politica progressista e liberaldemocratica rimasta in Italia. Il momento sembrava giusto, la portata del disastro elettorale avrebbe dovuto condurre all'apertura di una fase di rinnovamento, di pensiero e di rifondazione. È stata ed è invece un'esperienza deludente e frustrante. Il Pd è diventato una stanza di compensazione di interessi e rancori dove si litiga in pubblico e si fanno accordi al ribasso in privato. Nessuna elaborazione ideale, forza di mobilitazione, capacità di coinvolgimento può nascere in questo contesto. Qualsiasi tentativo di rianimarlo è di conseguenza miseramente fallito. La proposta di una segreteria costituente, un nuovo manifesto per i progressisti, la richiesta di un congresso immediato, tutto è caduto nel vuoto. È mia profonda convinzione che davanti al rischio mortale che il nostro paese corre, il Pd non possa più produrre una risposta credibile. Una parte consistente dei dirigenti del partito ha cercato e cercherà un'alleanza impossibile e nefasta con il M5S nella speranza di poterlo addomesticare. Non è questa la strada. Il M5S è una variante nostrana del populismo internazionale che vuole distruggere la democrazia liberale. Una variante che trae la sua forza da quel ribellismo sterile e distruttivo che è uno dei peccati capitali del nostro paese. Un movimento che si nutre e coltiva la sfiducia verso le istituzioni democratiche per dar vita a una democrazia apparentemente diretta, ma in realtà pilotata e strumentalizzata. L'altra parte del partito cerca invece solo un'improbabile rivincita e anche per questo contribuisce a tenere il Pd in uno stato vegetativo in attesa del "terzo avvento" di Renzi.

Un caso esemplificativo della mancanza di qualsiasi riflessione sulle ragioni della sconfitta è quello della manifestazione che il Pd ha deciso di dedicare "all'Italia che non ha paura". Vale a dire ai vincenti, gli unici che infatti continuano a votarlo. Non sono un appassionato di distinzioni tra destra e sinistra ma una cosa mi è chiara: la sinistra nasce per difendere chi ha paura, non per allontanarlo. Qualsiasi nuovo progetto politico che abbia l'ambizione di diventare maggioranza deve partire da qui: dare rappresentanza all'Italia che ha paura.

Il mondo dei progressisti attende questo progetto forte, unitario, rinnovato. Occorre costruire un luogo diverso per ricominciare il cammino insieme ai tantissimi cittadini che sentono pressante la necessità di opporsi a un governo incapace e illiberale. Alla costruzione di questo luogo nuovo, i dirigenti nazionali e locali del Pd che hanno mantenuto una credibilità, devono contribuire con umiltà e realismo. Non possiamo permetterci ulteriori fratture dell'area progressista. Non è tempo di fondare partiti personali grandi a piacere. Io farò di tutto per evitarlo, spero faccia lo stesso chi ha avuto le maggiori responsabilità alla guida del Partito democratico e del paese negli ultimi anni.

Come progressisti siamo chiamati, prima di tutto, a comprendere in profondità gli errori fatti negli ultimi trent'anni. A partire dal modo di relazionarsi con la paura e con gli sconfitti. Comprendere le paure, dare loro diritto di cittadinanza, è il primo indispensabile passaggio per ritrovare il coraggio. Siamo in guerra con la paura, non con chi prova paura. Dobbiamo riconoscere che il futuro è carico di incognite e di rischi. Dobbiamo essere convinti che il presente è il tempo in cui i cittadini ci chiedono risposte e protezione (diventata ormai nel linguaggio dei progressisti una parolaccia). L'utopia del futuro ha ucciso i progressisti. Dobbiamo infine saper proporre un modello di società per affrontare gli orizzonti selvaggi che intravediamo. Elaborare un pensiero sociale, economico, culturale nuovo e questa volta sì, veramente *disruptive*, che sostenga questa visione deve essere il nostro primo obiettivo. Una proposta credibile per una "democrazia progressista" che si fondi sul potenziamento dell'uomo, il rinnovamento dello Stato e la valorizzazione della società e che abbia anche l'obiettivo di ridare dignità e potere alla politica. L'idea di libertà come progetto collettivo deve essere posta nuovamente al centro del pensiero dei progressisti. Questo progetto non è destinato ad accogliere solo gli elettori di sinistra. Le linee di demarcazione tra destra e sinistra si sono spostate. La vera discriminante oggi è tra chi vuole rinnovare la democrazia liberale mantenendone i valori di fondo e chi invece vuole sostituirla con una democrazia illiberale, infetta e manipolata. Il tempo è poco. Le elezioni europee – e personalmente credo anche quelle politiche – sono vicine. I progressisti non possono accontentarsi di fare l'ago della bilancia tra due opposti estremismi. Per questo ho proposto la costruzione di un ampio "Fronte Repubblicano" e progressista che raccolga le forze della società e della politica che vogliono preservare le conquiste della democrazia liberale, rinnovarla profondamente e opporsi a chi vuole portare l'Italia fuori dal progresso e dalla civiltà occidentale. Opporsi non è tuttavia sufficiente. Le idee questa volta devono precedere l'azione. Questo libro rappresenta il mio contributo in questa direzione.

P.S. Una foto di surf e le onde della modernità

Ho scelto per la copertina una foto che ritrae un surfista solitario uscito in mare mentre arriva una serie di cavalloni minacciosi e potenti. L'obiettivo lo coglie sulla tavola da surf. Sta decidendo se e come affrontarla. Immagino l'Occidente così. Siamo usciti spavaldamente "per l'alto mare aperto" e siamo rimasti bloccati tra un'onda e l'altra della modernità. Stare fermi è impossibile, verremmo travolti. Tornare verso la costa è la scelta più istintiva, che un comprensibile timore suggerirebbe, ma è anche la più pericolosa: l'onda ci prenderebbe da dietro e ci sbatterebbe sugli scogli. Passare sotto le onde, riemergere dall'altro lato e infine cavalcarle richiede preparazione e fiducia nelle proprie capacità, non incoscienza o esaltazione. La paura ci accompagna sempre. In qualunque epoca, in qualsiasi mare. Capirla e dominarla è lo spirito del progresso. E il progresso è lo spirito dell'uomo.

Note

Parte prima
1. I fatti e le idee

[1] Francis Fukuyama, *La fine della Storia e l'ultimo uomo*, Rizzoli, Milano 1992.

[2] Thomas L. Friedman, *Il mondo è piatto*, Mondadori, Milano 2006.

[3] Yuval Noah Harari, *Homo deus. Breve storia del futuro*, Bompiani, Milano 2017. La tesi di Harari, a mio avviso condivisibile, è che democrazia liberale, socialismo e nazionalismo corrispondano a tre versioni dell'umanesimo. Una radice comune con tre percorsi diversi in conflitto tra loro.

[4] "Economia sociale e di mercato" è il termine, usato per la prima volta da Wilhelm Röpke, per indicare un modello di sviluppo che tiene insieme libertà di mercato e giustizia sociale.

[5] Tommaso Detti, Giovanni Gozzini, *L'età del disordine*, Laterza, Roma-Bari, p. 118

[6] La conferenza di Bretton Woods si tenne nel luglio del '44 per definire le regole dei rapporti commerciali, economici e finanziari tra i paesi occidentali. Rappresenta il primo, riuscito, tentativo di governare finanza e commercio per evitare gli shock che avevano provocato la Grande Depressione. Per chi fosse interessato ad approfondire la dinamica e gli esiti della conferenza consiglio la lettura di Ed Conway, *The Summit: Bretton Woods, 1944: J.M. Keynes and the Reshaping of the Global Economy*, Pegasus Book, New York 2015.

[7] Angus Maddison, *The World Economy: a Millennial Perspective*, Oecd, Parigi 2001, pp. 362 e 241 (citato da Tommaso Detti, Giovanni Gozzini, *op. cit.*, p. 3).

[8] Dani Rodrik, *La globalizzazione intelligente*, Laterza, Roma-Bari 2011.

[9] *Embedded liberalism* indica il sistema economico globale post-Seconda guerra mondiale fino agli anni settanta. Usato per la prima volta da John Ruggie nell'82 si riferisce al mix tra libero commercio e politiche interne orientate alla costruzione di sistemi di welfare che contraddistinse appunto il trentennio successivo alla fine della Seconda guerra mondiale.

[10] Tony Judt, *Guasto è il mondo*, Laterza, Roma-Bari 2011, p. 37.

[11] Tony Judt, cit., p. 41.

[12] Walt Whitman Rostow, *The Stages of Economic Growth: A Non-Communist Manifesto*, Cambridge University Press, Cambridge 1960.

[13] Edward Luce, *Il tramonto del liberalismo occidentale*, Einaudi, Torino 2017, p. 20.
[14] Dani Rodrik, *op. cit.*
[15] Dani Rodrik, cit., p. 10.
[16] Edward Luce, cit., p. 30.
[17] Aiib: Banca asiatica di investimento per le infrastrutture promossa da Pechino nel 2014 per controbilanciare in Asia il peso della Asian Development Bank e del Fondo monetario internazionale controllati dagli Stati Uniti. Insieme al progetto politico e infrastrutturale, ben più ambizioso, "Nuova via della seta" lanciato dal governo cinese nel 2013, rappresenta il tentativo di Pechino di dotarsi di strumenti di *governance* internazionale capaci di proiettare la sua influenza. La capacità di investimento derivante dalle riserve finanziarie è una potente arma politica cinese usata per aumentare il suo peso strategico in Asia, Africa e in Est Europa.
[18] Ciotola di spaghetti: termine che indica l'intricata rete di accordi commerciali che lega i paesi del mondo.
[19] Alberto Alesina, "Il Sole 24ore", febbraio 2011.
[20] Sondaggio citato in Maura Franchi, Augusto Schianchi, *La democrazia del nostro scontento*, Carocci, Roma 2017, p. 43.
[21] Citato in Henry Kissinger, *Ordine mondiale*, Mondadori, Milano 2015, p. 313.
[22] Samuel P. Huntington, *Il conflitto di civiltà e il nuovo ordine globale*, Garzanti, Milano 1997.
[23] Dani Rodrik, *op. cit.*
[24] Mario Giro, *La globalizzazione difficile*, Mondadori Università, Milano 2017, p. 7.

2. Fallimenti e successi della globalizzazione

[1] Tommaso Detti, Giovanni Gozzini, *L'età del disordine*, Laterza, Roma-Bari, p. 11, nota.
[2] Yascha Mounk, *Popolo vs democrazia*, Feltrinelli, Milano 2018, p. 25.
[3] Maura Franchi, Augusto Schianchi, *La democrazia del nostro scontento*, Carocci, Roma 2017, p. 75.
[4] Dani Rodrik, *La globalizzazione intelligente*, Laterza, Roma-Bari 2011, p. 165.
[5] Yascha Mounk, cit., p. 200.
[6] Tommaso Detti, Giovanni Gozzini, cit., p. 6.
[7] Neal Gabler, *The Secret Shame of the Middle Class*, in "The Atlantic", maggio 2016 (citato in Maura Franchi, Augusto Schianchi, *La democrazia del nostro scontento*, cit., p. 47).
[8] Per *shadow banking* si intende la creazione o il trasferimento di rischi di natura bancaria, da parte di banche o di intermediari finanziari, al di fuori del sistema finanziario.
[9] Le criptovalute sono valute digitali fondate su sistemi di crittografia per convalidare le transazioni e la generazione di moneta. Sono sistemi privi di autorità centrale di controllo. Bitcoin è quella più famosa.
[10] Tommaso Detti, Giovanni Gozzini, cit., p. 33.
[11] Samuel P. Huntigton, *op. cit.*
[12] Henry Kissinger, in Huntington, *op. cit.*, p. 362

[13] Tommaso Detti, Giovanni Gozzini, *op. cit.*

[14] Enrico Moretti, *La nuova geografia del lavoro*, Mondadori, Milano 2013, p. 68.

[15] Stockholm International Peace Research Institute (Sipri), Military Expenditure Database (citato in Tommaso Detti, Giovanni Gozzini, *L'età del disordine*, cit., p. 147).

[16] Per "catene globali del valore" si intende la frammentazione geografica dei processi produttivi. Le componenti di un bene vengono sviluppate e prodotte in paesi diversi prima di arrivare alla fase conclusiva di assemblaggio.

[17] Richard Baldwin, *La grande convergenza*, il Mulino, Bologna 2018.

[18] Fareed Zakaria, *L'era post-americana*, Rizzoli, Milano 2008.

[19] Maura Franchi, Augusto Schianchi, cit., p. 77.

3. Il declino delle classi dirigenti

[1] Citato in Edward Luce, *Il tramonto del liberalismo occidentale*, Einaudi, Torino 2017, p. 26.

[2] Carlo Rovelli, *Sette brevi lezioni di fisica*, Adelphi, Milano 2014.

[3] Mario Giro, *La globalizzazione difficile*, Mondadori Università, Milano 2017, p. 17.

[4] Yascha Mounk, *Popolo* vs *democrazia*, Feltrinelli, Milano 2018, p. 114-117.

[5] Il *cursus honorum* era l'ordine rigidamente sequenziale che i cittadini romani dovevano seguire nel ricoprire le cariche pubbliche. Ogni carica aveva un'età minima (*in suo anno*, appunto) per l'elezione e un intervallo minimo per concorrere alla carica successiva.

[6] Yuval Noah Harari, *21 lezioni per il XXI secolo*, Bompiani, Milano 2018, p. 5.

[7] Jan Zielonka, *Controrivoluzione*, Laterza, Bari-Roma 2018, p. 5

[8] Jan Zielonka, cit., p. 7

4. Efficienza e giustizia

[1] Tommaso Detti, Giovanni Gozzini, *L'età del disordine*, Laterza, Roma-Bari, p. 33.

5. Cultura vs civiltà

[1] Yascha Mounk, *Popolo* vs *democrazia*, Feltrinelli, Milano 2018, p. 105.

[2] Pankaj Mishra, *L'età della rabbia*, Mondadori, Milano 2018.

[3] Bill Emmott, *Il destino dell'Occidente*, Marsilio, Venezia 2017, p. 15.

[4] Anthony Giddens, *La terza via*, Il Saggiatore, Milano 1999, p. 30.

[5] Edward Luce, *Il tramonto del liberalismo occidentale*, Einaudi, Torino 2017.

[6] Jan Zielonka, *Controrivoluzione*, Laterza, Bari-Roma 2018, p. 34.

[7] Anthony Giddens, cit., p. 72.

[8] Anthony Giddens, cit., p. 74.

[9] Maura Franchi, Augusto Schianchi, *La democrazia del nostro scontento*, Carocci, Roma 2017, pp. 51 e 52.

[10] Anthony Giddens, cit., p. 103.

[11] Yascha Mounk, cit., p. 189.

Parte seconda

1. La tecnologia sottometterà l'uomo?

[1] Yuval Noah Harari, *21 lezioni per il XXI secolo*, Bompiani, Milano 2018, p. 38.

[2] Yuval Noah Harari, cit., p. 27.

[3] Zygmunt Bauman, *Paura liquida*, Laterza, Roma-Bari 2006, p. 173.

[4] Mark Fisher, *Realismo capitalista*, Nero, Roma 2018, p. 43.

[5] Yuval Noah Harari, *Homo deus. Breve storia del futuro*, Bompiani, Milano 2017, p. 107.

[6] Yuval Noah Harari, cit., p. 84.

[7] Massimo Gaggi, *Homo premium*, Laterza, Roma-Bari 2018.

[8] Emanuele Severino, *Il declino del capitalismo*, Rizzoli, Milano 1993, p. 5.

[9] Emanuele Severino, cit., p. 21.

[10] Citato in Bill Emmott, *Il destino dell'Occidente*, Marsilio, Venezia 2017, p. 83.

[11] AAVV, *Beyond Genuine Stupidity: Ensuring AI Serves Humanity*, Fast Future, Londra 2018, p. 19

[12] Richard Florida, *L'ascesa della classe creativa*, Mondadori, Milano 2003.

[13] Alec Ross, *Il nostro futuro. Come affrontare il mondo nei prossimi 20 anni*, Feltrinelli, Milano 2016, p. 25.

[14] Dati da Labor 2030, *The Collision of Demographics, Automation and Inequality*, Report Bain 07/2018.

[15] Yuval Noah Harari, cit., p. 59.

[16] Bill Emmott, *Il destino dell'Occidente*, Marsilio, Venezia 2017, p. 9

2. Un mondo insostenibile

[1] Stefano Allievi, *Immigrazione. Cambiare tutto*, Laterza, Bari-Roma 2018, p. 10.

[2] Zygmunt Bauman, *Paura liquida*, Laterza, Roma-Bari 2006, p. 120.

[3] Zygmunt Bauman, cit., p. 162.

[4] Stefano Allievi, cit., p. 119.

[5] Tito Boeri, *Populismo e stato sociale*, Laterza, Roma-Bari 2017 (citato in Stefano Allievi, *Immigrazione cambiare tutto*, cit., p. 26).

[6] Carlo Cottarelli, *I sette peccati capitali dell'economia italiana*, Feltrinelli, Milano 2018, p. 109.

[7] Dati da: *Studies on migrants' profiles, driver of migration and migratory trends* (citato in Stefano Allievi, *Immigrazione cambiare tutto*, cit., p. 77).

[8] Jørgen Randers, *2052: A global forecast for the next forty years*, University of Cambridge, Cambridge 2012.

[9] Yuval Noah Harari, *Homo deus. Breve storia del futuro*, Bompiani, Milano 2017.

[10] Enrico Giovannini, *L'utopia sostenibile*, Laterza, Roma-Bari 2018, p. 70.

[11] Benedetto XVI, *Caritas in veritate*, Lettera enciclica, 29 giugno 2009, p. 27.

3. Sapere e comunità

[1] Intervista a Tullio De Mauro, 28 marzo 2016.

[2] Oliver Nachtwey, *Decivilizzazione*, in AaAVv, *La grande regressione*, Feltrinelli, Milano 2017, p. 165.

[3] Ulrich Beck, *La società del rischio*, Carocci, Roma 2000.
[4] Citata in Ulrich Beck, *La società del rischio*, cit.

Parte terza

1. La democrazia liberale e la tirannia dell'economia

[1] Messaggio del 27 agosto 1944, citato in Martin Gilbert, *Churchill*, Mondadori, Milano 1992.
[2] Franco Manni, *Introduzione* a Norberto Bobbio, *Liberalismo e democrazia*, Simonelli, Milano 2006, p. 9.
[3] Norberto Bobbio, cit., p. 138.
[4] Byung-Chul Han, *Nello sciame. Visioni del digitale*, Nottetempo, Roma 2015, p. 11.
[5] Byung-Chul Han, *op. cit.*, p. 16.
[6] Ulrich Beck, *La società del rischio*, Carocci, Roma 2000.
[7] Robert A. Dahl, *Sulla democrazia*, Laterza, Roma-Bari 2000, p. 167 (citato in Salvadori, *Democrazia. Storia di un'idea tra mito e realtà*, Donzelli, Roma 2016, p. 464).
[8] Massimo L. Salvadori, cit., p. 29.
[9] Angelo Panebianco, *Persone e mondi. Azioni individuali e ordine internazionale*, il Mulino, Bologna 2018, p. 59.
[10] Yascha Mounk, *Popolo vs democrazia*, Feltrinelli, Milano 2018, p. 106
[11] L'organicismo è una dottrina filosofica e politica che vede la società ordinata come un corpo fisico. Ogni organo funziona per servire l'insieme. È una società fortemente gerarchizzata dove il dissenso e le opinioni diverse non vengono considerate un valore ma un ostacolo. I regimi totalitari si fondano su questa visione della società.
[12] Discorso di Viktor Orbán al 29esimo Bálványos Summer Open University and Student Camp, 28 luglio 2018.
[13] Jocelyn Maclure, Charles Taylor, *La scommessa del laico*, Laterza, Roma-Bari, p. 22.
[14] Jocelyn Maclure, Charles Taylor, cit., p. 26
[15] Massimo L. Salvadori, *op. cit.*
[16] Jan Zielonka, *Controrivoluzione*, Laterza, Roma-Bari 2018, p. 9
[17] Angelo Panebianco, *Persone e mondi*, cit., p. 523 (riferimento a John Ikenberry).
[18] Yuval Noah Harari, *21 lezioni per il XXI secolo*, Bompiani, Milano 2018, p. 34.
[19] Polonia, Repubblica Ceca, Slovacchia, Ungheria si sono uniti in un gruppo che ha come obiettivo il coordinamento delle politiche tra i quattro stati ma soprattutto *vis a vis* l'Unione Europea.
[20] Famosa copertina dell'"Economist" del 2013 dedicata alla Germania.

2. Costruire una democrazia progressista

[1] Yascha Mounk, *Popolo vs democrazia*, Feltrinelli, Milano 2018.
[2] In uno Stato che adotta una concezione liberale e pluralista della religione, i simboli e le attività religiose sono limitate o escluse solo quando contrastano con la libertà altrui o sono legate ad attività del pubblico in modo da poterne

pregiudicare la neutralità. In uno Stato (per esempio la Francia) che adotta un approccio laico "repubblicano" alla religione questa limitazione investe anche gli individui che entrano in uno spazio pubblico. La neutralità dello stato rispetto alle credenze filosofiche o religiose di un individuo non è messa in discussione in nessuno dei due casi.

[3] Jocelyn Maclure, Charles Taylor, *La scommessa del laico*, Laterza, Roma-Bari, p. 97

[4] Giovanni Sartori, *Democrazia. Cosa è*, Rizzoli, Milano 1993, p. 327-28 (citato in Massimo L. Salvadori, *Democrazia. Storia di un'idea tra mito e realtà*, Donzelli, Roma 2016, p. 469).

[5] *Stuck in the past*, in "The Economist", agosto 11-17/2008.

[6] Marco Bentivogli, Massimo Chiriatti, *Manifesto per un nuovo bene pubblico digitale*, in "Sole 24 Ore", 12 agosto 2008.

[7] Normativa che obbliga un investitore straniero a chiedere al governo l'autorizzazione per acquisire un *asset* strategico. Il governo in presenza di specifiche circostanze può limitare i diritti dell'azionista, chiedere garanzie e persino vietare l'acquisizione.

[8] Ho implementato in Italia questa disciplina mutuandola da quella utilizzata dalla Commissione europea. La mia attività di governo non ne ha mai risentito.

[9] Con New Deal (nuovo accordo) si fa riferimento alle misure straordinarie prese da Franklin Delano Roosevelt tra il 1933 e 1938. In realtà i New Deal furono due: uno nel '33 e uno nel '35 e toccarono davvero tutti gli aspetti della società e dell'economia americana.

[10] Il Piano Marshall (European Recovery Program) fu lanciato nel '47 dagli Stati Uniti per supportare l'Europa distrutta dalla guerra con 14 miliardi di euro di aiuti in 4 anni. Si concluse nel 1951. L'equivalente odierno di quei 14 miliardi sarebbero 100 miliardi ai valori del 2004, e 200 se calcolati come percentuale del Pil americano impegnato nell'aiuto.

[11] Tony Judt, *Post-War*, Penguin Books, Londra 2005, p. 168.

[12] "Quando la Fiat iniziò il passaggio alla robotizzazione alla fine degli anni settanta, 65.000 posti di lavoro (su un totale di 165.000) scomparirono nel giro di tre anni." Tony Judt, *Post-War, op. cit.*

[13] Franklin Delano Roosevelt, discorso inaugurale, 4 marzo 1933.

[14] Yuval Noah Harari, *21 lezioni per il XXI secolo*, Bompiani, Milano 2018, p. 4.

3. L'Italia

[1] Carlo Cottarelli, *I sette peccati capitali dell'economia italiana*, Feltrinelli, Milano 2018, p. 7.

[2] Enrico Moretti, *La nuova geografia del lavoro*, Mondadori, Milano 2012, p. 48.

[3] McKinsey Global Institute, *Poorer than Their Parents? Flat or Falling Incomes in Advanced Economies*, luglio 2016, citato da Bill Emmott, *Il destino dell'Occidente*, Marsilio, Venezia 2017, p. 167.

[4] Se sommiamo i voti attribuiti dai sondaggi a M5S, Lega, Fratelli d'Italia, Potere al Popolo, il totale supera il 65%.

Indice